A PRIMEIRA HISTÓRIA DO MUNDO

ALBERTO MUSSA

A PRIMEIRA HISTÓRIA DO MUNDO

5ª edição

E D I T O R A   R E C O R D
RIO DE JANEIRO • SÃO PAULO
2023

CIP-BRASIL. CATALOGAÇÃO NA PUBLICAÇÃO
SINDICATO NACIONAL DOS EDITORES DE LIVROS, RJ

M977t Mussa, Alberto, 1961-
5. ed. A primeira história do mundo / Alberto Mussa. - 5. ed. - Rio de Janeiro : Record, 2023.

ISBN 978-65-5587-623-9

1. Ficção brasileira. I. Título.

CDD: 869.3
22-80151 CDU: 82-3(81)

Gabriela Faray Ferreira Lopes - Bibliotecária - CRB-7/6643

Projeto gráfico de box e capas: Leonardo Iaccarino

Texto revisado segundo o Acordo Ortográfico da Língua Portuguesa de 1990.

Direitos exclusivos desta edição reservados pela
EDITORA RECORD LTDA.
Rua Argentina, 171 – Rio de Janeiro, RJ – 20921-380 – Tel.: (21) 2585-2000.

Impresso no Brasil

ISBN 978-65-5587-623-9

A primeira história do mundo *celebra*
a chegada do meu grande Heitor,
nascido três dias depois do ponto final.

Nota prévia da primeira edição

A primeira história do mundo continua um projeto absurdo concebido em 1999: a elaboração de uma espécie de compêndio mítico do Rio de Janeiro, composto por cinco romances, cinco novelas de feição policial, uma para cada século da história carioca.

Pertencem ao ciclo *O trono da rainha Jinga*, cuja ação principal se dá em 1626; e *O senhor do lado esquerdo*, que parte de um crime cometido em 1913.

Este volume — todo baseado na documentação de um caso real — trata fundamentalmente do primeiro assassinato acontecido na cidade, ou nas suas imediações, em 1567.

Embora não seja propriamente um defeito, cumpre advertir que não pude contar com a figura canônica do investigador, com o tradicional "detetive" (como se tem dito em mau português). Tal função — indispensável, consoante as convenções do gênero — terá de ser exercida diretamente por mim.

Como se trata de um homicídio acontecido há mais de quatrocentos anos, e sobre o qual persistem tantas dúvidas, inconsistências e inverossimilhanças, quero propor aos leitores uma espécie de jogo, ou exercício: que dividam comigo a fascinante tarefa de reproduzir a investigação, de examinar os dados do processo, bem como outros documentos que iluminem o caráter das personagens envolvidas; imaginemos a cidade primitiva, precária e improvisada; e reencontremos as origens do nosso mundo hostil e novo — como se aqueles fatos seculares estivessem se desenrolando hoje, agora, sob os nossos céticos olhares.

Finalmente, sendo esta a narrativa do crime original, talvez não fosse necessário mencionar que constitui também uma história de adultério.

Mapa da capitania de São Vicente antes de 1565

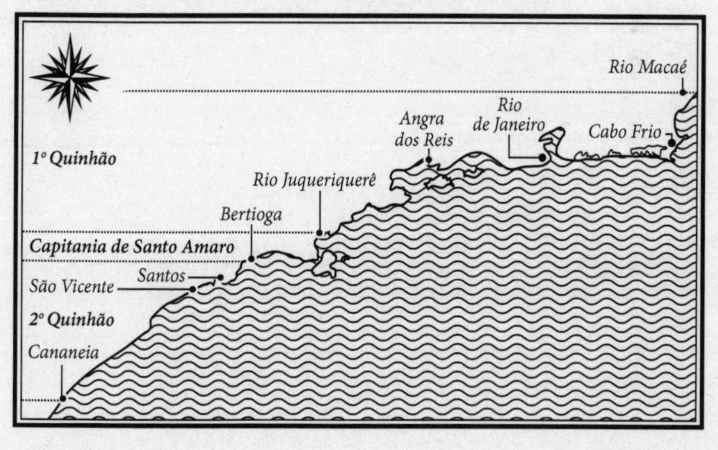

Mapa do Rio de Janeiro entre 1565 e 1567

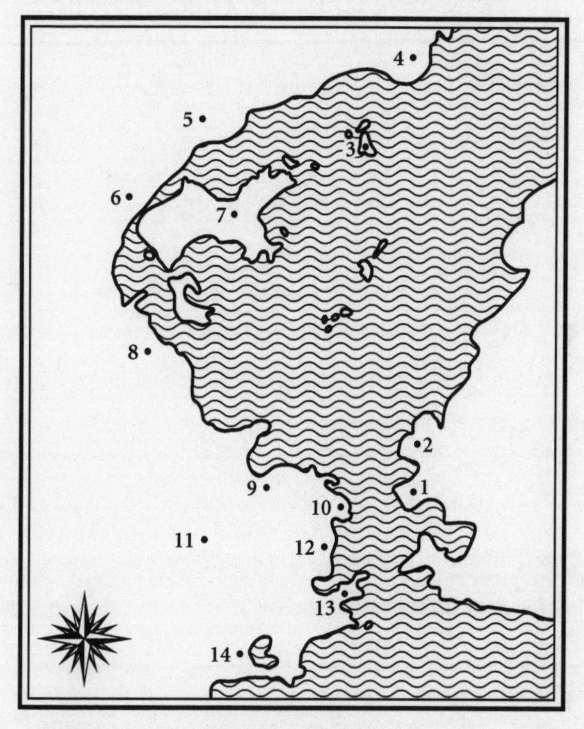

1. Aldeamento de Icaraí, do tuxaua Boiarão
2. Gragoatá, onde fica o curral de Antônio de Mariz
3. Arquipélago de Paquetá, sesmaria de dom Rodrigo de Vedras
4. Pacobaíba, onde fica o engenho de Martim Carrasco
5. Sarapuí, onde está uma terra cedida a Gomes Torrinha
6. Irajá, onde está a sesmaria de Mateus Cavério
7. Ilha de Paranapecu, onde estão as terras da família Sá
8. Penha de Inhaúma, onde está a propriedade de Brás Raposo
9. Aldeamento de Jabebiracica, do principal Araribóia
10. Morro do Castelo, sede da cidade do Rio de Janeiro
11. Iguaçu, sesmaria da Companhia de Jesus
12. Delta do Carioca, onde está a Casa de Pedra
13. Cidade Velha, ou Perotapera, onde fica a sesmaria de Pero Velho
14. Ipanema, onde fica a sesmaria de Afonso Diabo

Mapa do morro do Castelo em 1567

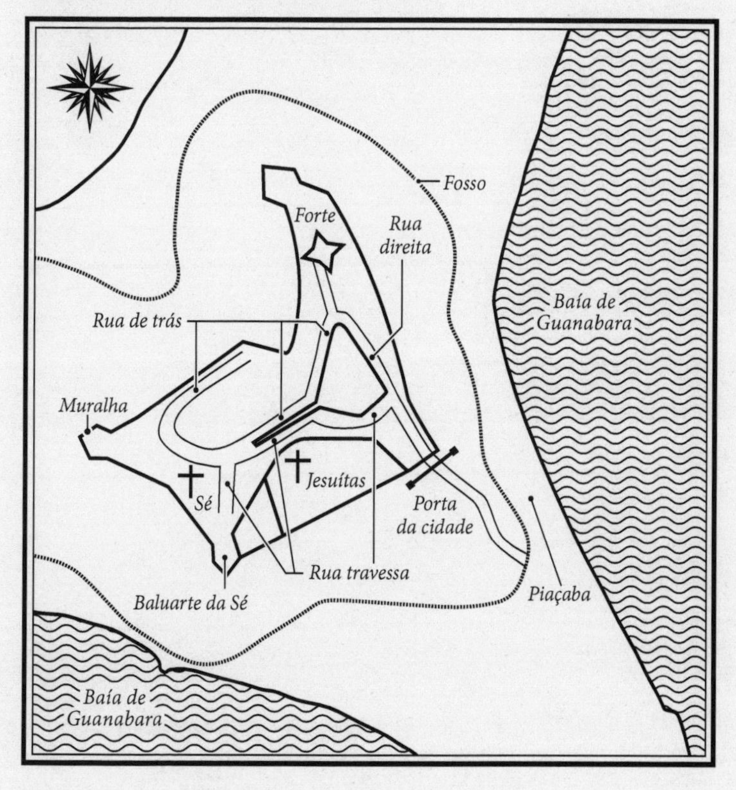

CAPÍTULO PRIMEIRO

"São (...) tão luxuriosos
que não há pecado de luxúria que não cometam (...)
e ainda que achem outrem com as mulheres,
não matam a ninguém por isso (...)"

Tratado descritivo do Brasil em 1587 (Livro II, CLVI: *Que trata da luxúria destes bárbaros*), Gabriel Soares de Sousa

§ 1º
Quando se sabe da existência de um cadáver

Estamos na cena do crime. À frente de quem mira o levante, fica a praia, banhada pela baía de Guanabara. Atrás, indevassável e infinita, a floresta. À direita, um pequeno manguezal, acompanhando o braço mais largo do rio que desce das serras altas da Tijuca para ali desembocar. Do outro lado, o outeiro do Leripe, onde existiu a aldeia indígena de Uruçumirim, por trás do qual corre o segundo braço do rio, formando a foz em delta. No centro, uma grande construção inabitada — a Casa de Pedra, única obra humana no enquadramento deserto da paisagem.

Essa é a região denominada Carioca, dita algumas vezes ilha da Carioca (pelo aspecto que toma a foz em delta), cujo nome deriva do mencionado rio que nasce na Tijuca e ali deságua.

Francisco da Costa, serralheiro, casado na cidade com Jerônima Rodrigues, é a vítima. Seu corpo foi encontrado pelo mameluco Simão Berquó, numa manhã de sábado, a algumas braças da Casa de Pedra. Tinha sete flechas cravadas nas costas; e um ferimento na altura dos rins que pareceu corresponder a uma oitava flechada.

Estava desaparecido desde o dia anterior, em hora que as testemunhas não precisam.

A sola de seus borzeguins conservava o lodo do manguezal; e por esse rastro foi possível reconstituir seus derradeiros passos: esteve entre os mangues, por tempo indeterminado, de onde saiu, primeiro andando, depois correndo, até cair. Esteve lá sozinho: o sapateiro confirmou que todas as pegadas eram do calçado da vítima.

Não tinha armas. A viúva deu por falta de uma bolsa, onde talvez levasse ferramentas do seu ofício: alicates, limas, chaves ou gazuas.

O exame do cadáver, executado pelo cirurgião e boticário da cidade, indicou que a morte ocorrera há pouco, naquela mesma manhã — posto o *rigor mortis* ainda se concentrar nas zonas mandibular e cervical.

A conclusão se ratificou, terminantemente, pela ausência de animais necrófagos ao redor dos despojos, como caranguejos e urubus — o que seria de esperar, tendo o corpo caído na vizinhança de um manguezal e ficado completamente exposto para um observador no céu.

Com esse breve resumo, respondo ao menos preliminarmente a três das cinco questões clássicas que envolvem todo assassinato: onde, quando e como.

Faltam, portanto, apenas o quem e o porquê.

A forca foi erguida no lugar depois denominado Ponta do Calabouço, onde o governador Mem de Sá mandaria construir um forte. Era um pequeno estrado, com um alçapão no meio, sustentado por uma corda grossa presa à trave principal onde o cadáver ficaria pendente. Naquele sistema, o papel do algoz era apenas o de bater com um machado, uma única vez, com rijeza, nessa corda — abrindo o alçapão e liberando o padecente para a queda.

O corpo ficaria ali exposto, para escarmento, até se reduzir a um mero esqueleto e poder servir a uma das mais antigas tradições do Rio de Janeiro: a da procissão dos ossos — quando, no dia de Finados, os irmãos da confraria da Misericórdia recolhiam aqueles restos para a sepultura, no seu modesto cemitério.

O condenado era aquele mesmo Simão Berquó, mameluco, que encontrara o cadáver e dera a notícia do crime.

A sentença tinha sido rápida, mesmo para os padrões do tempo. O corpo do serralheiro fora achado na Carioca, perto da Casa de Pedra, num sábado, 14 de junho de 1567; e a execução acontecia naquele 11 de outubro, sábado, como parece também ter sido tradição.

Embora tenha declarado expressamente não ser capaz de provar sua inocência, em nenhum momento o réu confessou a culpa. Fontes da época revelam que havia muitas dúvidas sobre a identidade do verdadeiro criminoso; e não apenas por essa circunstância.

Àquela altura, dia da execução, nada menos do que nove indivíduos haviam sido implicados no assassinato de Francisco da Costa. Nove cidadãos, em tese, tinham motivos e tiveram ocasião de cometer o crime. E oito, dentre esses, estavam agora livres, ali, talvez assistindo ao cortejo que levaria o condenado ao patíbulo, depois de uma devassa que correra em menos de quatro meses, quando o prazo regular era o de um semestre.

E não é apenas o número de acusados que surpreende: além deles, foram mais de cinquenta testemunhas ouvidas em juízo. Peço atenção para esses números, que são mesmo incríveis: entre suspeitos e depoentes, foram quase setenta pessoas constantes dos autos e documentos correlatos. Se considerarmos que a cidade ainda mal passava dos quatrocentos moradores (sem contar os índios dos aldeamentos), a morte do serralheiro envolveu cerca de 15% da população, sendo 2% os acusados do crime. Não conheço, na história brasileira, homicídio de tamanha envergadura.

Como a cidade não dispunha ainda de cadeia, o condenado deve ter ficado sob custódia na casa de uma das autoridades do tempo, talvez na do próprio ouvidor, Luís

D'Armas, fidalgo cavaleiro da casa de el-Rei e companheiro leal de Mem de Sá na conquista do Rio de Janeiro.

Podemos imaginar Simão Berquó saindo da casa do ouvidor, naquele sábado, com as mãos amarradas, vestido numa túnica surrada de estamenha, conduzido pelo carcereiro e mais dois ou três guardas. À frente, um membro da Companhia de Jesus prestava seu auxílio espiritual.

O séquito, então, transpõe as muralhas, desce a ladeira, caminha pela Piaçaba e atinge, enfim, a Ponta do Calabouço. Há (presumo eu) muitos murmúrios entre a gente — porque, além da viúva, sete suspeitos talvez assistam à cena: os fidalgos cavaleiros Martim Carrasco e dom Rodrigo de Vedras; Brás Raposo, então tesoureiro da câmara e dono da olaria; o rapaz Duarte, filho do sesmeiro Pero Velho, mordomo da confraria de São Sebastião; o degredado Melquior Ximenes, rendeiro nas terras da Companhia de Jesus; Gonçalo Preto, cirurgião e boticário, homem que opinou sobre a hora do óbito; e Afonso do Diabo, o mesmo carcereiro que acabava de guiar o preso.

Mencionei sete dentre aqueles arrolados no processo porque o oitavo não assistia — participava da cena, figurando de carrasco: Tomé Bretão, cartógrafo, pirata, então detido na cidade como cativo de guerra. Não sei por que consta do processo a circunstância de ter o mencionado prisioneiro se oferecido espontaneamente para aquela lúgubre função.

Mas prossigamos com a reconstituição da cerimônia: depois de lida a sentença, cumpridas todas as formalidades, ajustado no pescoço o instrumento do suplício, Tomé Bretão aplica um golpe seco na corda que sustém o alçapão. O baraço, todavia, ou se rompeu, ou se soltou. E Simão Berquó, condenado à morte natural, em vez de pender da forca, quebrou apenas uma perna.

Para que o leitor bem compreenda a época em que a ação se passa, não custa fazer uma brevíssima súmula da proto-história da cidade.

Apesar de ter sido descoberta ou avistada em 1502, a região da Guanabara sempre foi um território marginal para os colonos portugueses. Teve apenas uma ocupação precária, intermitente, com o estabelecimento de uma ou duas feitorias, que não duraram muito tempo. Mesmo quando ainda fazia parte da capitania de São Vicente (base territorial do futuro estado de São Paulo), não mereceu o interesse do seu insigne donatário, Martim Afonso de Sousa, que ouviu ali, na Guanabara, em 1531, as primeiras notícias sobre a existência de metais preciosos no interior.

O abandono de zona tão estratégica atraiu, naturalmente, desde muito cedo, outras potências navais; e o Rio de Janeiro passou a ser o principal porto de escala na carreira do Prata para as armadas de Espanha, além de refúgio de piratas, que tinham na baía um entreposto clandestino de pimenta e pau-brasil.

Em todo esse primeiro período, a relação com os nativos foi muito amistosa. Os habitantes da baía, como os da maior parte do litoral brasileiro, eram índios da grande nação tupi, falantes da língua geral, ou língua geral da costa. Estavam naquela região há cerca de um milênio, depois de terem rechaçado os primitivos habitantes.

A antiguidade desses deslocamentos de povos pode ser pressentida na própria toponímia: Guanabara, por exemplo, é Mar dos Guaianás — índios de nação tapuia (ou seja, de diferentes idiomas, costumes e crenças); e Carioca (que nunca foi Casa do Homem Branco, como andaram difundindo muito erroneamente) é Casa de Carijó — que são os tupis meridionais, também conhecidos como guaranis.

Em torno de 1550, todavia, os tupis do Rio de Janeiro entraram em uma espécie de guerra civil e se cindiram em duas metades inimigas: os tamoios e os temiminós; ou seja, os avós e os netos. Como havia também, nessa época, uma grande disputa entre França e Portugal pela posse definitiva da baía, aquelas duas metades indígenas se aliaram, respectivamente, a cada uma das coroas, formando apenas dois partidos contrários: de um lado, tamoios e franceses; do outro, portugueses e temiminós.

E o primeiro desses blocos chegou a dominar a Guanabara, provocando a fuga dos temiminós e obstando o avanço lusíada. Por isso, em 1555, foi fundada no Rio de Janeiro uma colônia francesa permanente, de orientação calvinista: a França Antártica.

Mem de Sá, então governador-geral do Brasil, reuniu a seu exército de mamelucos forças indígenas aliadas, além dos próprios temiminós; e partiu com grande armada para expulsar os invasores.

Venceu os franceses, em 1560; mas não os tamoios. Esses continuaram resistindo, porque sua luta também era contra a escravidão. Em 1565, contudo, o capitão Estácio, sobrinho de Mem de Sá, comandou outra terrível ofensiva e conseguiu entrar na Guanabara. Para assegurar a posse da terra à coroa portuguesa, fundou — bem na barra da baía, num estreito istmo entre os morros Cara de Cão e Pão de Açúcar — um pequeno arraial militar; mas que nasceu com estatuto de cidade: São Sebastião do Rio de Janeiro.

A maior parte da população primitiva era originária das vilas e povoações da capitania de São Vicente. Assim, quase todas as personagens da novela são também antigos vicentinos, antepassados comuns de cariocas e paulistas.

Mas a guerra continua. Em 1566, o tamoio Guaixará quase faz cair a cidadela lusitana, na maior batalha naval já travada na circunferência da Guanabara. E Mem de Sá vem em socorro do sobrinho, no ano seguinte, com todos os homens que pôde arregimentar. Conseguiu, enfim, derrotar os tamoios, numa campanha que custou a vida ao capitão Estácio — ferido em pleno rosto por uma flechada, em frente ao outeiro do Leripe.

Expulso o inimigo, decide o governador transferir a cidade daquele estreito istmo para o morro que seria chamado do Castelo. Nesse novo sítio, levanta uma muralha, arma fortalezas, ensaia escavar um enorme fosso de proteção — porque a ameaça tamoia é ainda muito viva.

Nesse momento, contudo, ocorre o assassinato de Francisco da Costa. É quando começa, propriamente, a história do Rio de Janeiro.

É mesmo muito acertado que se denominem cariocas os naturais da cidade, talvez por não ser possível, num plano mítico ou ontológico, um outro termo.

Carioca é o lugar onde faz seu delta o rio homônimo, cujas águas mágicas davam força aos homens e juventude às mulheres. Foi pela virtude desse rio que os tupis lutaram, rechaçando de suas margens guaianás e carijós, para se tornarem senhores únicos de toda a Guanabara.

Carioca é também o lugar da Casa de Pedra, marco delimitador do território da cidade. Prédio meio fantástico, meio lendário, foi a primeira construção do gênero erguida na costa brasileira; e não nos resta dela, hoje, um único vestígio.

É ainda a Carioca o lugar daquela última batalha, a de Uruçumirim, que decreta o exílio dos tamoios e a morte do capitão Estácio — consequência da grave infecção provocada pela flecha.

E é enfim o lugar do crime primordial, do assassinato de Francisco da Costa, cujo mistério é o mesmo do romance.

A Carioca é, portanto, o epicentro de quatro pontos cardeais que assinalam eventos fundadores, como são os ritos de passagem, as cerimônias de iniciação. Não há outro sítio, na cidade, com tanta carga sobrenatural, com tal teor simbólico.

Contavam os temiminós, como contaram os tamoios, uma história do princípio, do tempo em que os bichos falavam e tinham forma humana. Viviam ali, na Carioca, dois irmãos — Tamanduá e Urubu — que compartilhavam a mesma mulher, Preguiça.

Urubu era um exímio caçador, voltava sempre da mata com muita carne de caça. Por ser mesmo muita, em quantidade excessiva, a carne apodrecia às vezes, antes de ser posta no moquém.

Preguiça, contudo, apesar de Urubu ser forte e corajoso, parecia preferir Tamanduá, que passava seus dias na roça e apreciava mais abóbora, feijão e amendoim. Tamanduá também fazia cestos, potes, vasos e redes, que oferecia à Preguiça.

Certo dia, com ciúme do irmão, e furioso com o comportamento da mulher, Urubu chegou na taba com um quarto traseiro de veado. E insultou Tamanduá, atirando nele o enorme pedaço de carne, afirmando que, se ele fosse homem de verdade, se fosse um homem viril, seria caçador como ele, Urubu.

Tamanduá, então, profundamente ofendido, bateu com o pé no chão. A raiva era tanta que a pancada abriu na terra um buraco, de onde jorrou imenso fluxo de água.

Então, Tamanduá, Urubu, Preguiça — toda a taba foi impulsionada para cima, na direção do céu. Preguiça, que estava grávida dos dois maridos, ficou com medo; e se agarrou à extremidade de uma árvore altíssima, enquanto os irmãos continuavam subindo.

Quando a taba fora lançada para cima, Preguiça tinha nas mãos um tição aceso. Assim, pôs o fogo sob a longa e espessa cabeleira, para protegê-lo da chuva e do vento. E esperou, no alto da árvore, as águas baixarem.

Desceu, então, depois de muito tempo. Mas, como os gêmeos no seu ventre já pesavam muito, acabou caindo, quando estava já bem perto do chão. Essa queda abriu outro buraco, de onde brotou água. Todavia, em vez de uma torrente caudalosa, esguichando para cima, nasceu apenas um rio: o Carioca.

Os gêmeos — um, filho de Tamanduá; o outro, filho de Urubu — vieram à luz com o impacto; e foram levados pela correnteza, na direção da antiga aldeia. Preguiça veio nadando, desesperada, atrás dos dois.

Ainda dentro d'água, os irmãos, repetindo os pais, também brigaram — e por isso o rio se dividiu em dois braços, pouco antes de desembocar.

A Carioca é, assim, não apenas o lugar de origem do Rio de Janeiro — mas onde surge a própria humanidade, descendente dos filhos de Tamanduá e Urubu, tidos com sua própria mãe, Preguiça. Ela, que conservou o fogo sob a cabeleira espessa e longa, tem até hoje os pelos queimados na região da nuca.

Mas voltemos logo, e rasamente, aos fatos.

Naquele tempo, incidentes improváveis, como o sucedido com o mameluco Simão Berquó, eram sinais imperativos da clemência divina, eram uma prova incontestável de inocência. Por mais que Mem de Sá insistisse na tese de uma nova execução, os jesuítas (todos eles) e os membros da recém-fundada irmandade da Misericórdia se interpuseram contra tal arbitrariedade, apoiados, certamente, por muitos cidadãos.

O réu, então, enquanto durava o impasse, foi transferido para a cadeia de Vila Velha — de onde em pouco tempo se evadiu, na cumplicidade provável do próprio carcereiro.

Há um fato que não mencionei mas que agora vem bastante ao caso: Simão Berquó foi levado à forca no dia 11 de outubro, como já foi dito. Mas a execução tinha sido marcada, inicialmente, para 20 de setembro. O processo, nessa última data, já estava todo concluído — mas correra apenas contra nove réus.

Às vésperas do suplício, contudo, certo moço, Soeiro Vaz, menor, sobrinho da vítima pela linha materna, que até aquele dia se mantivera impassível e não dera uma única declaração contra ninguém, acusou a décima pessoa: o cidadão Gomes Torrinha, então distribuidor, inquiridor e contador, além de escrivão da almotaçaria, por *conversar a mulher do dito Francisco da Costa morto, como dantes e depois conversava, e que tanto que o dito réu tivera morto ao dito morto Francisco da Costa, tio dele autor, logo fora visto no lugar do malefício com arcos e flechas e outras armas e se viera gabar à dita cidade e outras pessoas que ele matara ao dito Francisco da Costa, dizendo então que ficaria com a mulher do dito Francisco da Costa à sua vontade, o que era público e notório a todos, e que o réu era muito mal ensinado, soberbo e desalmado, costumado a fazer semelhantes delitos e outros muito graves.*

O libelo, apesar de veemente, não foi provado — ratificando-se, portanto, a primeira sentença. Mas a imperícia do carrasco, ou a má qualidade da corda, deu ao episódio da forca a dimensão esotérica dos antigos ordálios, como se tudo houvesse acontecido sob forte influxo sobrenatural, como se o menor Soeiro houvesse sido eleito arauto da onisciência divina — para apontar o verdadeiro criminoso e salvar do suplício um inocente.

O leitor, a essa altura, talvez acredite que o escrivão tenha mesmo matado o serralheiro. Foi a minha primeira impressão; e foi também a opinião consensual, na época, porque a mentalidade popular dificilmente compreende acasos.

Todavia, mesmo considerando o episódio milagroso da forca, mesmo conhecendo que há verdades nesse crime que transcendem a ordem natural — a simples leitura dos autos da devassa não permite concluir, racionalmente, sobre quem tenha sido o assassino de Francisco da Costa.

Embora sejam personagens bem distintas, embora ocupem posições diversas da hierarquia social, paira sobre eles uma sombria coincidência: os dez acusados, todos eles, sem exceção, tinham alguma relação com a mulher da vítima — direta, presumida, teórica, potencial, consequente ou fictícia.

Jerônima Rodrigues (que deve ter sido uma mulher belíssima, se minhas teorias são corretas) foi, portanto, o motivo elementar do crime; foi o motivo convergente de todas as dez hipóteses então formuladas para explicar o assassinato do serralheiro Francisco da Costa.

O segredo, portanto, está nessa mulher.

§2º
Uma premissa elementar

Numa cidade onde há mais homens que mulheres, não pode haver virtude. Precipito uma frase que deveria ser, tecnicamente, a última — porque essa é a tese, a moral da história; nela está a resposta natural ao porquê do crime, que explica e justifica o número excessivo de suspeitos.

Quero, assim, prevenir o comprador indeciso, que folheia um exemplar mas ainda não pagou o preço. Se, numa narrativa policial canônica, o objetivo de quem lê é descobrir o assassino, compreender seu método ou analisar sua mente criminosa — aqui se trata de algo mais, de um caso diferente, único, fundamental, cuja solução excede o mero raciocínio lógico para atender a uma verdade mítica.

Os mais antigos habitantes do Rio de Janeiro — população que os arqueólogos denominam itaipu — contavam uma história dos primórdios, quando as mulheres governavam o mundo. Os homens, apesar de existirem em maior número, cuidavam apenas das tarefas domésticas, como cozinhar ou conservar o fogo.

Como tinham o pênis sempre ereto, não conseguiam subir nas árvores, para catar ovos, para colher mel. Essa ereção constante também não permitia que cobrissem a glande com o prepúcio: daí não poderem entrar nos rios, para apanhar peixe, porque uma espécie minúscula de candiru entrava às vezes pelo orifício da uretra, matando o pescador.

Naquele tempo, não havia cópula. As mulheres se satisfaziam introduzindo cobras na vagina. Sendo tais criaturas (como se sabe) imortais, o veneno que espirravam transmitia às mulheres a mesma imortalidade.

Certo dia, uma moça, saindo do rio onde fora pescar, viu, perto da margem, meio encoberta pelas folhas, uma serpente aquática. Cheia de desejo, capturou-a; e logo a meteu por entre as pernas.

A rigidez, a textura, os movimentos daquele animal eram diferentes daquilo a que estava acostumada. E sentiu, com ele, um prazer infinitamente mais intenso. Só quando a cobra cuspiu nela seu veneno, percebeu que se tratava de um homem.

Ele, contudo, por ter entrado n'água, já vinha morrendo e durou pouco. Mas a moça teve tempo de constatar que o pênis dele amolecera, quando saiu de dentro dela. Passou, então, a repetir o experimento com outros homens. E viu que todos ficavam também, depois, amolecidos.

Desconfiadas da estranha felicidade da moça, as outras mulheres a seguiram, descobriram o segredo e começaram a imitá-la.

Os homens, porém, por sua vez, compartilhavam daquele prazer. E — como as mulheres fossem poucas — começaram a disputá-las, violentamente, chegando mesmo a se matarem para entrarem nelas.

Com o pênis mole, podiam subir nas árvores; com o pênis mole, podiam entrar nos rios. E, como matavam os próprios semelhantes, podiam matar outros animais. Perceberam, assim, que eram fortes. E era a alegria oriunda de tantas matanças — as da caça e as da guerra — que tornava o pênis duro novamente.

Em pouco tempo, a situação se inverteu: o mundo passou a ter menos homens que mulheres. Essas, tendo trocado o veneno das serpentes pelo esperma humano, passaram a gerar seres mortais, como nós.

É pouco o que se pode dizer sobre a personagem histórica de Jerônima Rodrigues. Não ouso, por exemplo, descrevê-la, em seu aspecto físico — como é da norma do romance. Lembro apenas que dez homens, ou 2% da população, teriam achado nela uma razão para matar. E isso basta, me parece, para que o leitor a imagine na magnitude exata da mulher real.

Objetivamente, está nos documentos que era mameluca, natural da vila de Santos. E que chegara à cidade velha, no istmo entre o Cara de Cão e o Pão de Açúcar, em 1566, pela providência dos padres, pois era muito necessário povoar rapidamente aquele Rio de Janeiro. Jerônima e outras vinham, assim, para casar.

Como se sabe, mulheres de Portugal rareavam, nessa época. E as mamelucas — batizadas, já meio afeitas à vida lusitana, podendo gerar descendência de sangue mais limpo — eram quase sempre preferíveis às indígenas. Em se tratando de uma Jerônima Rodrigues, na forma em que a podemos conceber, tal oferta não seria feita sem algum tipo de conflito.

Conto o que se pode presumir de informações fragmentárias: a moça tinha sido prometida, ao mesmo tempo, a dois fidalgos — a um deles, pelo padre Nóbrega; ao outro, por Gonçalo de Oliveira.

Os pretendentes, dom Rodrigo de Vedras e Martim Carrasco, cavaleiros da casa de el-rei, pessoas cheias de altivez e de melindres, se sentiram desonrados e não cederam a vez — tendo chegado a discutir, em praça pública, ao lado do poço da cidade velha, com ofensas cada vez mais graves, até puxarem espadas.

Ia sucumbindo, dom Rodrigo, trinta anos acima da idade do rival, ante os golpes mais tremendos do Carrasco — quando este, de repente, tropeçou num obstáculo qualquer, caindo de bruços e largando a arma. Parece que o cavaleiro de Vedras teve a intenção de matar o oponente indefeso; e fazia o movimento de braço, naquele sentido, quando o padre Oliveira se interpôs ao golpe, interrompendo o duelo.

Não posso continuar senão com especulações: tal impasse deve ter levado os jesuítas a consultarem a própria noiva. Acredito que tenham dado a ela uma alternativa específica: ou Martim, ou dom Rodrigo. E ela, então, para surpresa dos padres e escândalo do povo, preteriu os dois fidalgos — escolhendo o serralheiro.

Que tenha sido uma opção deliberada, não há dúvida, como se depreende de um outro passo do processo. O que não se declara é a razão da atitude. E aqui cabe mais um exercício de raciocínio. Naquele tempo, naquela conjuntura, uma mestiça pobre, que dispensa dois senhores de terras por um oficial mecânico, não pode ter agido com motivo trivial. Ou estamos diante de uma arrebatadora história de amor; ou havia um enredo oculto, deslustroso, alguma mácula que o inverossímil matrimônio vinha reparar.

É a última hipótese que deve ter prevalecido no senso comum: julgaram que a mameluca havia se dado antes, a outro homem, quando ainda estava em Santos. Logo, sua falsa castidade seria assim desmascarada se se casasse com um dos cavaleiros, correndo até risco de vida, pois era imprevisível a reação de qualquer um dos dois, numa questão de honra como aquela.

Foram rumores desse tipo que criaram o mito de Jerônima Rodrigues. É uma constante, aliás, na história das civilizações, esse fascínio pelas mulheres permissivas, dissolutas, depravadas, essas fêmeas com quem se pode fazer tudo. E, no Rio de Janeiro, havia ainda a agravante de ser Jerônima meio índia — tendo as índias fama de insaciáveis, sexualmente, quando não prostituíveis, pela menor das ninharias. São coisas dessas, pelo menos, que se leem em quase todos os cronistas.

Insisto nessas circunstâncias (embora sejam ainda especulativas) porque a hipótese de crime passional é muito forte nesse caso. Não sei se já mencionei que quase todos os suspeitos também tiveram desentendimentos com Francisco da Costa, por pretextos cujo fundo era Jerônima Rodrigues. Houve injúrias verbais, ameaças de morte, agressões físicas até, de lado a lado, conforme vários testemunhos. É bastante presumível, me parece, que antes tenha havido assédios, constrangimentos, ofensas à moral da moça; e que o marido tenha reagido a toda essa avalanche de uma maneira veemente, violenta — como é da índole viril.

Na época do crime, o Rio de Janeiro acabava de ser transferido do istmo entre o Cara de Cão e o Pão de Açúcar para o cume do morro que seria o do Castelo. E a região da Carioca, então desabitada, se interpunha exatamente entre esses polos, isolando a cidade velha (fundada pelo capitão Estácio em 1565, no referido istmo) do atual núcleo urbano situado no Castelo.

Ora, quem conhece a antiga geografia do Rio de Janeiro sabe que, antes dos aterros que permitiram transpor a extinta lagoa Grande, ninguém ia ou vinha da Carioca a pé — salvo se se arriscasse por velhos caminhos pré-históricos, para contornar os pântanos, por sobre morros ínvios, traiçoeiros, ainda cobertos pelas tênebras da mata. A maior parte da população alugava igaras aos aguadeiros indígenas, prestadores regulares daquele tipo de serviço.

A cidade era, então, amuralhada. E a porta mais antiga (a futura porta do mar) ficava na vertente mais íngreme, no meio da ladeira mais tarde conhecida como da Misericórdia, fronteira à praia da Piaçaba, onde seria instalado o guindaste dos padres. Não existia ainda a ladeira do Poço do Porteiro, aberta só no ano seguinte; e nem a do Cotovelo, concluída depois de 1570.

Insisto nesse tema das portas e ladeiras porque o leitor de novelas policiais deve notar sobretudo os pormenores. E volto a dizer: naquele tempo, quando o Rio de Janeiro apenas começava, a passagem para a cidade alta, a comunicação entre o morro e a várzea só se dava por aquela única ladeira e por aquela única porta — sendo quase impossível, ou pelo menos muito perigoso, tentar pular o muro, mesmo nos pontos mais baixos.

Convido o leitor, assim, a acompanhar meu raciocínio: sabemos que foi Simão Berquó quem encontrou o cadáver de Francisco da Costa. Morava, o mameluco, na ilha de Paranapecu, onde era uma espécie de capataz da família Sá, dona de grande parte daquele território, então ainda inexplorado. Segundo a sentinela do forte do Castelo, Simão passou cedo, no sábado, 14 de junho, sozinho, em sua própria igara, na direção da Carioca. O réu admitiu o fato, acrescentando que ia lá para caçar saguis e micos, muito apreciados como xerimbabos, como animais de estimação.

Conforme a mesma sentinela, cerca de uma hora depois Simão Berquó voltava, com a notícia do crime. Numa cidade de tão pouca gente, numa época em que se acordava cedo, é possível imaginar tenham escutado o mameluco muitas personagens importantes, futuras testemunhas do inquérito, que talvez já valha a pena ir nomeando: Inês Flamenga, escrava, natural de Antuérpia; Ana Sánchez, mameluca, natural de São Vicente; Maria Tapuia, índia goitacá, escrava; Felícia e Andresa, índias tamoias, também escravas; Bárbara Ferreira, cristã-nova; Beatriz Ramalho, mameluca, neta do patriarca de Piratininga; Úrsula e Tomásia, índias livres, da redução temiminó de Jabebiracica; Catarina Morena, cigana e espanhola; Filipa Mendes, provavelmente cristã-velha; e Domingas, índia livre, do aldeamento temiminó de Icaraí, no outro lado da baía.

Essa relação, além da função mnemônica, poderia também servir como esboço aproximativo da composição populacional do Rio de Janeiro em 1567, para o leitor se familiarizar melhor com o aspecto humano da paisagem. Tive, contudo, um outro intento: chamar a atenção para os ausentes, para aquelas personagens que não poderiam ter ouvido, naquele momento, a notícia de Simão Berquó.

Era o caso, por exemplo, de dom Rodrigo de Vedras, de Martim Carrasco e do mameluco Duarte, filho de Pero Velho — todos senhores de terras, a quem foram concedidas sesmarias no recôncavo da Guanabara. Embora tivessem casas no Castelo, moravam propriamente em suas respectivas fazendas (Paquetá, Pacobaíba e Perotapera), e estavam ou afirmaram estar nesses lugares na hora do crime.

E era o caso também de outros moradores de áreas rurais, que àquela hora de sábado ainda estavam fora: como Tomé Bretão, prisioneiro de guerra a serviço de Antônio de Mariz, em Gragoatá, na banda ocidental da baía; e Melquior Ximenes, rendeiro nas imensas datas de Iguaçu, pertencentes ao Colégio da Companhia de Jesus.

Alguns residentes no Castelo tinham àquela altura já passado para a várzea, como o tesoureiro Brás Raposo, dono de uma olaria na Penha de Inhaúma; e o carcereiro Afonso do Diabo, que também descera para ir à caça.

Chego, portanto, ao ponto: como o leitor terá notado, exceto pelo cirurgião Gonçalo Preto, que prestava atendimento ao escrivão Gomes Torrinha (com um joelho torcido e concussões nas costas), todos os futuros implicados no crime estavam fora do recinto da cidade quando o mameluco voltou da Carioca.

O Rio de Janeiro, em 1567, tinha só três ruas: a rua direita, principal, era na prática a continuação da ladeira da cidade; começava logo depois da muralha, num traçado quase retilíneo, antes de subir em curva, para terminar no terraço do forte (ou castelo, propriamente dito). A rua travessa (como diz o nome) partia transversalmente à direita, na altura da porta, rente ao muro do Colégio, seguindo depois até a Sé (ainda em obras), de onde descia, virando à esquerda, para dar no baluarte, que era o ponto mais baixo da cidade. A última rua, a de trás, partia igualmente da direita, na altura da subida do forte, indo também até a Sé e dobrando nesse ponto num cotovelo, com uma leve descaída, para os fundos do morro.

Era nesse último trecho da rua de trás, depois do cotovelo, que tinham casa os moradores mais modestos, que exerciam em geral ofícios mecânicos, não sendo nem donos de terras nem tendo cargos importantes. Nesse pedaço da cidade, precisamente, viviam Francisco da Costa e Jerônima Rodrigues.

As edificações da época, naquela cidade precária que ainda mal começava, fossem de fidalgos ou peões, tinham essencialmente a mesma feição: eram de taipa e cal, com cobertura de sapê ou, mais raramente, telhas. O teto era sem forro; o piso, de terra batida, às vezes forrado com esteiras de palha. Nem todos os cômodos tinham portas ou mesmo cortinas. A distinção principal, entre ricos e pobres, é que os últimos recebiam terrenos de menor testada — não podendo, quase sempre, abrir janelas.

A casa do serralheiro deve ter sido assim: a fachada tinha apenas a porta; e o primeiro cômodo, em vez de sala, era a própria oficina. Dali, à esquerda, começava um estreito corredor, que passava em frente a um pequeno cômodo onde havia, provavelmente, uma rede e um ou dois baús, indo até uma espécie de varanda, mal coberta, que servia de cozinha. Depois, era o quintal, onde se criavam galinhas e perus, às vezes porcos. Algumas mulheres, particularmente as mestiças, que herdaram certos costumes maternos, talvez tivessem xerimbabos, como araras, canindés, maracanãs, tucanos, tangarás, sabiás, papagaios, mesmo pequenos gaviões, que forneciam plumas para adornos. Devia ser o caso de Jerônima.

Falo da cidade, e falo de Jerônima, não apenas porque ambas se confundem, mas porque leitores me advertem de um terrível lapso: na lista das pessoas que devem ter escutado Simão Berquó dar a notícia do assassinato de Francisco da Costa, em frente à porta da cidade, faltou, naturalmente, o nome da viúva.

Não sabemos qual tenha sido a sua reação, quando soube objetivamente do ocorrido, dada a frieza do jargão judiciário. Mas há dois dados muito interessantes, que explicam minha aparente omissão. Primeiro: Jerônima permaneceu em casa (ou assim declarou) desde que se despediu do serralheiro pela última vez, na sexta-feira. Segundo: a morte do marido não a surpreendeu.

Conforme seu primeiro depoimento (pois houve três, como o leitor irá saber), na sexta-feira, 13 de junho, Francisco da Costa saiu de casa cerca de uma da tarde, sem declarar aonde ia. Jerônima o esperou, até a hora da ceia. E, como ele não voltasse, imaginou a mameluca que o marido teria ido a alguma propriedade mais distante e preferido pernoitar por lá, evitando o risco de uma travessia com o sol posto. Não suspeitou, àquela altura, de qualquer mau sucesso.

Todavia, depois de escurecer, Jerônima foi sendo tomada pela ansiedade, ante a iminência já concreta de passar a noite só. Saiu, então, de casa, como se o mundo exterior, como se as ruas da cidade fossem menos nocivas. Hesitava em bater em alguma porta, para pedir ajuda, para convidar alguém a lhe fazer companhia. Foi quando entreviu, longe, na penumbra, um vulto solitário, alguém que passava pelo cotovelo em direção à Sé.

Meio oculta num dos cantos da muralha, tentou identificar, dali, quem era, ou ao menos quem parecia ser: se homem, mulher, fidalgo, peão, padre ou escravo. Mas a sombra, a imagem que sugeria uma pessoa, estacou, de súbito, ao perceber estar sendo observada. E logo se voltou, retomando a caminhada lenta, meio arrastada até, mas agora entrando pela rua de trás — precisamente ao encontro de Jerônima.

Trêmula de medo, a mameluca se fechou em casa, outra vez. E esperou, já preparada para correr até o quintal e gritar por socorro, se notasse a tranca ser forçada. Ainda intuiu a presença do vulto, pela diminuição de luz na fresta da soleira. Ficou ali parado, diante da porta, por alguns instantes. E só.

Jerônima Rodrigues, contudo, não conseguiu dormir. Passou a noite em alerta, armada com uma faca de matar galinhas. E teve o pressentimento, a convicção até, de que algo muito ruim acontecera com o marido.

Foi o que declarou ao inquiridor, na presença dos juízes. Não sei se o leitor já se deu conta de que esse inquiridor (também contador, distribuidor e escrivão da almotaçaria) é o já referido Gomes Torrinha — personagem que, depois da condenação de Simão Berquó, seria acusada desse mesmo assassinato.

Em 1567, o Rio de Janeiro ainda vivia a iminência da guerra. Mem de Sá, aliás, não mandaria cercar e fortificar o morro do Castelo se não houvesse então um perigo real. Os tamoios (que só seriam efetivamente contidos depois da expedição do governador Salema, em 1575) eram dos gentios mais insubmissos da costa. Tinham índole tão belicosa, a vingança para eles tinha tal importância existencial que muitas vezes se empenhavam em marchas de oitenta, cem léguas pela mata, a fim de capturar três ou quatro inimigos para depois sacrificá-los e comê-los. É isso, pelo menos, o que se lê na crônica.

Para os tupis, a inimizade, o estado permanente de guerra, constituía a condição espontânea, primordial, entre indivíduos. Só a relação de parentesco (um fenômeno da cultura) eliminava o antagonismo natural. Tanto que, quando se tentou traduzir em tupi a noção de *trégua*, o vocábulo empregado foi *nhem˜u* — que quer dizer, literalmente, *aparentar-se*.

Assim, se há uma circunstância espantosa, formidável mesmo, em todo esse caso do serralheiro, é não ter havido, em nenhuma fase do processo, quem mencionasse indígenas como presumíveis assassinos. Nenhum documento constante dos autos sequer aventa, ainda que indiretamente, essa possibilidade.

E não haveria tese mais elementar, nenhuma teoria seria mais provável que a de uma emboscada dos tamoios, pois a vítima foi encontrada com sete flechadas nas costas.

Foi esse, para mim, o grande mistério: mais que conhecer o nome do assassino, meu interesse nesse crime, desde o princípio, era compreender a exclusão dos índios.

É possível que os portugueses, afeitos já aos costumes nativos, e percebendo que Francisco da Costa não estava com a cabeça quebrada, tenham eliminado a hipótese tamoia. Como os leitores sabem, um dos elementos fundamentais do sacrifício ritual tupi era partir o crânio da vítima — quando o matador adquiria um nome.

E os nomes eram o maior bem, a maior riqueza de que podia dispor um índio tupi. Ninguém estava autorizado a procriar, por exemplo, antes de obter um nome desses. Só a posse de muitos nomes permitia ao indivíduo ascender, se pretendesse, à posição de tuxaua. Era o acúmulo de nomes que capacitava a sombra pessoal (ou alma) a superar as provas da morte e escapar ao aniquilamento absoluto, durante a caminhada para a terra-sem-mal.

A antropofagia, aliás, ainda muito lembrada, era ontologicamente muito mais importante para as mulheres. O que os homens de fato almejavam era tomar nomes sobre a cabeça dos contrários.

Mesmo aquele que rachasse o crânio de um oponente morto — por exemplo, por uma flechada (o que acontecia muitas vezes no próprio campo de batalha) — ganharia um nome novo. E não era incomum violarem cemitérios inimigos, depois de muito tempo, para exumarem esqueletos e lhes partirem a caveira.

Logo, se o serralheiro houvesse sido atacado por nativos, não estaria com o crânio intacto.

A explicação é plausível; mas não sei se os leitores acreditam nela. Eu, pelo menos, não. E a razão é simples:

os índios ou o índio que atirou pode ter fugido logo, deixando para trás o corpo — ou porque não levasse sua ibirapema (a borduna ou maça com que se racham cabeças); ou por não saber se havia ou não outros portugueses por ali; ou por ter percebido a aproximação de alguma igara (por exemplo, a de Simão Berquó), sem ter certeza de quantos homens vinham nela, sem ter certeza de que não se tratava de temiminós.

Assim, a hipótese tamoia só pode ter sido rechaçada tão de plano por outro motivo: porque os portugueses tinham visto as flechas. Sabiam que não teriam sido disparadas por tamoios.

Investigar um assassinato ocorrido há mais de quatrocentos anos tem alguns inconvenientes importantes. As sete flechas cravadas nas costas do cadáver foram certamente examinadas pelos juízes; e devem ter sido retidas, durante a devassa, como uma das evidências do crime. Por estarem ali, à disposição das autoridades judiciárias, era dispensável descrevê-las nos autos. E isso nos priva — a mim e aos leitores — de um dos elementos fundamentais para a exegese do caso.

Resta, assim, especular: as flechas tupis, conforme a informação dos cronistas, eram longas de uma braça, quase sempre do mesmo tamanho do arco, sendo ambos proporcionais à altura do arqueiro. Os índios não usavam aljavas à moda europeia: a mesma mão que empunhava o arco levava as flechas. Era um movimento sutil e preciso dos dedos que lançava a base do projétil até a corda, para ser quase instantaneamente disparada. Essa técnica permitia ao nativo atirar um número maior de flechas que um arqueiro europeu.

O tipo de ponta variava: podia apenas ser a própria haste afiada e endurecida no fogo, um pedaço de taquara, uma lasca de osso, um dente de tubarão, o ferrão de uma arraia. A principal característica da flecha tupi era o empenamento: a pluma era cortada ao meio e as metades amarradas com fios de algodão na base da haste. Se se pode confiar nos documentos, os índios da costa não envenenavam as flechas.

Ora, apesar de já disporem de armas de fogo (e que eram muito caras), o aparelho bélico dos portugueses, no século 16, ainda incluía bestas e arcos. Ainda que os portugueses houvessem seguido a maneira da terra, relativamente aos tipos de ponta e empenamento (em função do baixo custo), as flechas apropriadas para as suas armas não passavam muito dos cinco palmos de comprido. Ou seja, eram curtas para arcos indígenas.

Foram, portanto, flechas curtas, inconsistentes com o padrão indígena, que mataram Francisco da Costa. A premissa era óbvia: o assassino só podia ser um cidadão do Rio de Janeiro.

CAPÍTULO SEGUNDO

"(...) e foram até darem com um grande rei,
senhor de todos aqueles campos (...)
e deu novas de como (...)
havia muito ouro e prata."

Do diário de bordo da expedição de Martim Afonso de Sousa,
escrito por Pero Lopes, no Rio de Janeiro, em 1531

§ 1º
Lendas de Lourenço Cão

Numa investigação criminal comum, das que existem fora da literatura, os principais suspeitos são sempre aqueles que podem ter matado por dinheiro, por vingança, por se sentirem ameaçados pela vítima, por disputarem com ela a posse exclusiva de uma mulher.

A ficção policial vulgar e especialmente a cinematografia norte-americana têm hoje preferido enigmas muito elaborados, em geral grandes conspirações internacionais, crimes de fundo estético ou metafísico, além das célebres matanças em série, que decorrem de uma causa intrínseca, da personalidade perversa de um criminoso intransitivo, cujo objeto é a ação em si. Eu mesmo, quando escrevo ficção, abuso muito das intrigas cerebrais. Tramas assim, contudo, têm muito pouca relação com a vida; e não serão assunto deste livro — que reconstitui um caso real.

Na devassa aberta para apurar o assassinato de Francisco da Costa, surpreende muito o fato de a tese passional ter sido assumida de modo tão absoluto, não apenas pelos juízes, mas por quase todos os depoentes do inquérito. Havia nisso alguma espécie de verdade; a cidade conhecia alguma coisa — talvez tão óbvia, naquele tempo, que não precisasse constar dos autos. Não se pode, assim, subestimá-la.

Todavia, se estamos hoje (eu e os leitores) refazendo uma investigação de mais de quatro séculos, é necessário eliminar completamente as demais hipóteses, antes de aceitar um tal consenso.

As circunstâncias, no entanto, não permitem. Primeiro: como já antecipei, a viúva deu pela falta da bolsa do marido. Ainda que Francisco da Costa fosse um mero oficial mecânico e ocupasse uma posição social inferior, uma bolsa pode conter muitas coisas valiosas, além de moedas. O simples sumiço desse objeto deveria ter ampliado o espectro das causas prováveis.

Não foram sensíveis, os investigadores do tempo, nem mesmo aos próprios movimentos da vítima, executados pouco antes da morte: as pegadas impressas na cena do crime não são compatíveis com um motivo passional. Francisco da Costa deixou o recinto do Castelo na sexta-feira 13 e foi encontrado morto no dia 14. Ficou na Carioca certamente muito tempo. Foi à Carioca com a intenção de ir.

As marcas dos seus borzeguins revelaram que esteve escondido entre os mangues, olhando na direção da Casa de Pedra. Esperava um cúmplice (que o traiu); ou um inimigo (que pressentiu a tocaia), porque foi alvejado pela retaguarda. Morreu enquanto tentava fugir desse agressor.

Se olhava para a Casa de Pedra, sabia ou tinha indícios fortes de que o inimigo, ou cúmplice, apareceria naquele lugar e entraria no seu campo de visão. A Casa de Pedra, portanto, não pode ter sido uma circunstância fortuita. Guardemos, por ora, esse dado; e pensemos no número de flechas.

Foram sete, cravadas na região dorsal. Mas havia também um ferimento na altura dos rins, que poderia corresponder, que correspondia a uma oitava flechada. Esse irrelevante pormenor (considerada estritamente a *causa mortis* na necropsia) traz, no entanto, uma inesperada complicação na análise do crime.

Foi removida, seguramente, essa oitava flecha. Mas — por que apenas uma; e não todas? Terá o assassino interrompido a remoção ao pressentir a presença de uma terceira personagem? Terá essa terceira personagem testemunhado o crime?

Tudo isso é possível. Mas quero compartilhar com o leitor uma hipótese engenhosa: no vestuário português daquele tempo, as bolsas eram presas à cinta que segurava as calças; ou usadas a tiracolo. Nos dois casos, a posição da ferida coincidia claramente com a de uma bolsa que se desloca ou balança, na corrida.

Ora, Francisco da Costa era um serralheiro. Se o assassino tivesse por finalidade a bolsa desse serralheiro, e a flecha houvesse atravessado essa bolsa antes de perfurar a carne, teria o criminoso de arrancar o projétil, para liberar o objeto pretendido.

E a bolsa de um serralheiro, embora até pudesse conter moedas, teria mais provavelmente gazuas e chaves — com as quais se abre qualquer cofre; ou qualquer casa.

E o corpo de Francisco da Costa foi achado em frente à Casa de Pedra.

É muito estranho que, sendo tão próximas do morro do Castelo, não apenas a Casa de Pedra, mas toda a região da Carioca estivessem, em 1567, desabitadas. Ora, numa paisagem em que predominavam a taipa e a madeira, uma construção sólida como terá sido a Casa não ficaria deserta, ou sem serventia, se não houvesse razão para tal.

E é tão mais estranho quando se sabe que, fundada a cidade do Rio de Janeiro, em 1565, o capitão Estácio logo começou a distribuir sesmarias no recôncavo da Guanabara, no uso regular do seu poder regimental. Parece ter reservado a Carioca para o rossio público, mas isso não se confirmou com o tempo.

Na verdade, o motivo alegado foi outro: o de haver muitos reclamantes, muita gente entre os principais conquistadores e situadores da cidade havia feito petições requerendo a doação da Carioca e, consequentemente, da Casa de Pedra. Estácio, talvez, agindo com diplomacia, tenha preferido se omitir.

Havia ainda uma questão jurídica: como já referi, as terras do Rio de Janeiro pertenceram no início à capitania de São Vicente, doada pelo rei a Martim Afonso de Sousa, em 1532. Até pelo menos 1548, quando a presença dos piratas franceses passou a ser mais constante, os vicentinos exploraram a baía, tendo inclusive erguido nela uma pequena feitoria, na ilha de Paranapecu.

Pouco depois da expulsão dos franceses, em 1560, o donatário de São Vicente, que tinha então esse poder, concedeu algumas datas no Rio de Janeiro. A região da Carioca foi entregue, nessa ocasião, depois de muitas disputas, ao genovês Mateus Cavério, cuja família tinha grande influência na colônia. É claro que, dada a Confederação dos Tamoios (como a historiografia chama a guerra indígena contra a escravidão), nem Cavério nem os outros sesmeiros puderam usufruir dos seus domínios.

Até que em 1565 o capitão Estácio funda a cidade de São Sebastião. Assim, sendo o Rio de Janeiro propriamente uma cidade, e não vila, ocorreu um esbulho natural, uma expropriação tácita não só da Carioca mas de todas as sesmarias ali doadas, porque as cidades portuguesas haviam de se situar em terras da coroa, não na de particulares — que só fundavam vilas.

Obviamente, essas doações poderiam ter sido ratificadas pelo capitão Estácio. E Mateus Cavério, alegando precedência, fez uma nova petição nesse sentido. Esse processo, como outros, entre os quais um pedido de indenização firmado pelos herdeiros de Martim Afonso, se arrastou até quase o século 18.

Convém lembrar que, enquanto adiava sua decisão, o capitão Estácio não apenas proibiu qualquer pessoa de entrar na Casa — mas mandou trancá-la. Pelo lado de dentro da porta de entrada, fez correr outra, toda feita em ferro pesado, peça única de barras trançadas, à feição dos gradis levadiços dos castelos medievais.

Essa porta estava presa a um sistema de roldanas, travadas por um jogo tríplice de fechaduras, que giravam de maneira combinada, segundo quantidades precisas e exatas de voltas, para cada uma delas, como a senha de um cofre.

O que havia, então, na Casa de Pedra, que pudesse provocar tanto interesse, que necessitasse de tanta proteção?

É onde entram as lendas.

Há pouco que dizer objetivamente sobre o papel da Casa de Pedra na história do Rio de Janeiro. Sabemos que foi escolhida como termo da cidade; e que diante dela foi realizada a cerimônia de posse das terras, pelo capitão Estácio, depois da fundação.

E é mesmo incrível que não restem dela nem mesmo os alicerces. Não podemos deduzir, assim, qual terá sido seu aspecto. Não sabemos quem a construiu, nem exatamente quando. Os melhores historiadores da cidade divergem bastante sobre o tópico. Uns julgam que ela é a mesma "casa-forte" que Martim Afonso mandou fazer em 1531. Outros acham que é a *briqueterie* mencionada nos mapas franceses. Uma terceira corrente afirma que a Casa é anterior a 1512, que já estava ali quando os primeiros portugueses se estabeleceram oficialmente na baía. Ao que tudo indica, não era uma fortaleza — mas uma simples casa.

A Casa de Pedra (diziam) era mal-assombrada. Teria sido a cena de crimes fabulosos, acontecidos no passado; e que se repetiam infinitamente, em cenas espectrais, como se de novo começassem. Diziam também que fora construída para encobrir um poço, ou túnel, muito profundo, que conduzia ao inferno. Também corria ser a

Casa povoada por inúmeros espectros; ou pelas almas dos covardes, que se escondiam ali para fugir da aniquilação total — pois os espíritos canibais, que delas se alimentam, não conseguiam atravessar a rocha das paredes.

Todavia, como todo lugar de danação, havia nela algo que atraía a cobiça dos homens: era na Casa de Pedra que permanecia oculto o mapa de Lourenço Cão — que revelava o roteiro das minas de ouro, prata e esmeraldas, situadas num reino povoado apenas por mulheres.

Teria sido um normando, grande mestre na arte da cantaria, vindo com os primeiros piratas, quem levantou o prédio a pedido ou sob as ordens do próprio Lourenço Cão. O corpo do canteiro ficou, naturalmente, sepultado lá, dentro da Casa, atirado ao fosso, de cabeça para baixo, para que o segredo não se revelasse. Foi quando Lourenço Cão voltou a desaparecer.

Por décadas, aventureiros procuraram em vão por esse mapa. Vasculharam cada palmo das paredes, cada recanto, cada pedra, para encontrar a que devia estar solta, escondendo, atrás de si, o manuscrito. Não é preciso mencionar que morreram muitos homens nessa busca.

Até que, desesperados, começaram a demolir o edifício, tentando remover, um a um, os blocos de pedra. A destruição, contudo, foi logo interrompida, pois começara a correr que o mapa não estava exatamente oculto num lugar secreto do interior da Casa: tinha sido, na verdade, inscrito nas paredes.

Algumas pedras empregadas na construção foram talhadas com a mesma forma, com o mesmo contorno dos marcos que conduziam às minas, tomados do alto, de um ângulo estritamente vertical. Serras, lagoas, rochedos eram figurados, portanto, em duas dimensões — o que tornava o enigma extremamente complexo para quem não dominasse elementos de cartografia. Seguindo o mesmo princípio, algumas linhas da argamassa (composta de cal e azeite de baleia) representavam, por sua vez, o traçado preciso de rios e trilhas indígenas.

Quem conseguisse identificar, entre os milhares de blocos lavrados pelo canteiro, o marco inicial (que imitava o delta do Carioca, visto de cima), perceberia, então, outros indícios, como a linha correspondente ao rio Iguaçu, que nascia na lagoa dourada das mulheres sem marido, onde ficavam as minas.

Os historiadores dão praticamente como certo ter ocorrido no primeiro dia da era de 1502 o avistamento do Rio de Janeiro, durante a expedição de reconhecimento da costa brasileira, logo depois da viagem de Cabral.

No ano seguinte, a coroa portuguesa arrenda a extração de pau-brasil a um consórcio formado por dom Nuno Manuel e Cristóvão de Haro. O contrato, de dez anos, previa a "descoberta" anual de trezentas léguas de costa (no sentido da época, ou seja, não apenas avistar, mas descer em terra) e o estabelecimento de feitorias, em cada trecho, para garantir o monopólio da exploração.

Foram muitas viagens e grandes aventuras, de que nos chegaram raríssimos registros. A que interessa à novela aconteceu em 1504 ou 1505; e tem como fonte o conjunto de três depoimentos dados às autoridades de Espanha, no porto de Cádiz, em 1507, por três sobreviventes portugueses (um piloto, um gajeiro e um calafate), resgatados entre o Cabo Frio e o rio dos Reféns pela nau de dom Lopo de Mendoza, que voltava do rio da Prata.

Segundo o piloto Nuno Anes (cujo testemunho é o mais extenso dos três), saíram de Portugal quatro navios; mas, ainda perto da costa africana, um deles (uma caravela) foi a pique. O acidente ocorrera à vista das outras naus e não foi tão difícil resgatar os náufragos. É quando se menciona o nome de Lourenço Cão, capitão da caravela naufragada, primeiro homem a se pôr a salvo num escaler, sem socorrer os marinheiros que ainda se debatiam na água.

Com a caravela, afundaram muitas peças da armação e boa parte dos mantimentos da frota. Assim, a proporção entre víveres e homens diminuiu bastante. E a tripulação foi submetida a um racionamento ainda mais rigoroso, que exasperou naturalmente os ânimos. Ninguém atribuiu, todavia, o naufrágio da caravela a uma imperícia de Lourenço Cão.

Pouco depois, novo golpe: a capitânia que Nuno Anes pilotava se perdeu das outras duas naus. E marujos escutaram o Cão blasfemar e pôr a culpa, com xingamentos e injúrias, no capitão da armada (cujo nome a história omite). Apontava ainda, em voz sonora, mesmo diante do menor grumete, talvez para provar seu conhecimento náutico, as manobras que julgara improcedentes.

Ora, um navio não pode ter dois capitães, como o universo não tem dois criadores. Mas, como o supremo comandante se omitia, a capitânia veio logo a sofrer as terríveis consequências dessa permissividade, que é a falta de censura, a livre expressão do pensamento. Confuso, inseguro, o piloto foi levado (assim é a sua própria versão) a cometer aquele erro fatal, passando muito ao largo dos Abrolhos e conduzindo o navio aonde as águas são escuras, insidiosas, incomensuráveis, e se confundem, às vezes, com o próprio céu.

Os elementos, então, se conflagraram contra a nau extraviada: apesar de prevenida por trovões e raios, um impulso maligno fez a capitânia embicar, inexplicavelmente, para o ventre da tormenta, onde cresciam vagalhões incompassivos e ventos inclementes desciam gélidos do sul. E tudo foi tão súbito que muitos homens foram lançados por sobre a amurada e logo tragados na voragem.

Mas tempestades, como os homens, vêm e vão. E, como nem sempre quem triunfa é o mais forte, quando a tormenta finalmente terminou, o navio ínfimo ainda flutuava. Então, eclodiu o motim.

Lourenço Cão, que vinha tendo ásperas contendas com toda a companhia, encabeçou a revolta. Ficou dito, mais ou menos, que às vezes é o mais fraco quem triunfa. Foi o caso. Depois de alguma luta, a insurreição foi debelada; e Lourenço Cão, rendido, foi posto a ferros com os ratos no porão.

Agrilhoado como estava, não pôde ver quando o piloto Nuno Anes avistou o almejado Cabo Frio. Por isso, todos se surpreenderam quando um grumete, que acabava de subir do porão, trouxe um recado do prisioneiro: mandava dizer ao capitão e ao piloto que continuassem a correr de leste a oeste, paralelamente à equinocial, pois estavam (podia garantir) a não mais de vinte léguas de um rio entrevisto pelos seus antecessores: seguindo aquela direção, seria o primeiro cenário exuberante, visível do convés. É a primeira descrição conhecida, e precisa, da localização do Rio de Janeiro.

Reproduzo esse quase irrelevante pormenor para que o leitor comece a perceber quem era, na verdade, aquele prisioneiro. Enquanto esteve no porão, sozinho (porque os rebeldes sobreviventes foram amarrados à própria amurada), Lourenço Cão fazia cálculos. E percebeu, em pouco tempo, uma sinistra coincidência: sempre que a velocidade da nau diminuía, e um grumete vinha logo conferir a quantidade remanescente de água potável, reboava um baque típico, de algo pesado atirado ao mar.

Um segundo recado, então, surpreendeu o piloto: o prisioneiro mandava dizer ao capitão que aqueles crimes seriam vingados, um a um. Ora, Lourenço Cão não podia saber, preso como estava, o que vinha acontecendo no convés. Mas era aquilo mesmo: o capitão vinha executando os amotinados, para poupar água e mantimentos.

Pouco depois, como Lourenço Cão anunciara, a capitânia chegava ao Rio de Janeiro. Um grumete desceu, então, para soltar o preso — que ficaria degredado na terra.

Entra agora um pedaço da história que decorre da minha própria interpretação dos fatos. Presumo que esse grumete que desceu tenha sido o mesmo das vezes anteriores. Deve ter escutado do prisioneiro qualquer outra dedução admirável sobre os eventos ocorridos no convés. É provável que adivinhara ter sido condenado ao degredo; que percebera terem já cruzado a barra do Rio de Janeiro, pelos ruídos típicos do lançamento da sonda, pelos solavancos característicos da aterragem.

A inteligência, a sabedoria têm amplíssimo poder sobre os espíritos singelos: o grumete deve ter concluído que, durante a insurreição, lutara no partido errado; que estava diante de um espírito superior. E Lourenço Cão, dizendo-se provavelmente vítima de um conluio, lembrando ser impossível, naquela circunstância, qualquer tentativa de sublevação, pediu apenas, para sua legítima defesa, que o grumete não o deixasse desarmado.

Quando entregou a faca (isso é, ainda, minha própria presunção), não pressentia, o grumete, as consequências daquele extremo gesto.

O leitor talvez agora me pergunte qual o interesse dessas tão antigas aventuras para o caso de Francisco da Costa. Peço apenas, para tanto, um pouco mais de paciência. E exploro agora mais um pouco os outros dois depoimentos — o do gajeiro e o do calafate: mais ricos no traçado da figura de Lourenço Cão.

Logo perceberam não se tratar de um rio, mas de uma imensa baía de feição circular, cheia de ilhas, onde muitos rios verdadeiros desaguavam. A paisagem extasiava: montanhas, rochedos e a floresta imensa e misteriosa. E eram tantos pássaros de cores múltiplas, tantos macacos, tantos golfinhos, que supuseram alguns não houvesse ali habitação humana. Diziam mesmo terem chegado ao paraíso terreal; Lourenço Cão pensava exatamente o contrário.

Quando pisaram na praia, contudo, viram os nativos. Andavam mesmo todos nus; e, à exceção da parte de trás da cabeça, não tinham pelos no corpo, nem nos supercílios, nem na região pubiana. Usavam brincos de osso, braceletes de penas, colares de dentes e miçangas. Os homens, além desses adornos, levavam umas pedras verdes enfiadas nos lábios de baixo e às vezes pelas próprias bochechas.

Lourenço Cão, aliás, talvez tenha sido o único dentre os estrangeiros a reparar melhor nos homens: tinham eles grandes cicatrizes no peito, nos braços, nas coxas. Não eram, todavia, ferimentos de guerra, pois tinham tamanho, espessura e recorte semelhantes. E havia um padrão naquilo: quanto mais velho era o indivíduo, mais cicatrizes exibia. Finalmente, Lourenço Cão identificou um princípio na disposição delas, como se fossem um desenho, como se constituíssem uma escrita. Essa afirmação, absurda, foi testemunhada pelo calafate.

O capitão, animado com a índole aparentemente amistosa dos selvagens, apesar de estarem todos armados, tentou estabelecer um diálogo gestual, mostrando moedas de ouro e prata, tentando saber se existiam ali metais como aqueles.

Toda essa cena, contudo, parece não ter interessado a certa personagem: o grumete, que fora ao porão trazer o prisioneiro. Admirava, esse rapaz, visivelmente excitado, a nudez das mulheres. Chegara a expressar um desejo temerário, que o gajeiro reprimira ainda no convés. Estavam a uma certa distância dos índios, tentando entabular aquele impossível diálogo.

Foi quando uma das moças veio, sorridente, na direção dos estrangeiros. E parou ali, nua, completamente nua, diante dele, grumete (que certamente a atraíra pela insistência dos olhares), para experimentar, com os dedos, agora rindo muito, a textura da roupa e dos cabelos — que eram louros.

Ocorreu, então, no rapaz, uma mudança. Nunca tivera, o grumete, uma mulher (é a afirmação do gajeiro). Nunca tinha visto uma mulher sem roupa. Conhecia apenas (a presunção é minha) a prática vulgar entre camaradas marinheiros. Tinha, logo, uma curiosidade muito natural.

Assim, aquela nudez de moça, oferecida tão de perto, o alienou do mundo. E ele se atirou, ensandecido, sobre ela, tentando se desvencilhar das calças, enquanto abocanhava, com a boca inteira, um daqueles rijíssimos peitinhos.

Não é difícil imaginar a reação dos nativos. Por sorte, não dispararam as flechas, talvez com medo de errarem o alvo e atingirem a indiazinha. Mas vieram, todos, contra os estrangeiros. Antes, porém, que os alcançassem, Lourenço Cão, num rompante, cravou a faca no pescoço do rapaz. Faca que dele mesmo recebera (como julgo ter deduzido), ainda no porão, para não estar completamente desarmado.

Chegavam, enfim, ao verdadeiro mundo novo.

Com essa atitude, Lourenço Cão teria se convertido numa espécie de rei dos índios, na expressão de Nuno Anes. O piloto menciona ainda o impacto moral que foi, para os cristãos, assistirem às cenas seguintes — quando a cabeça do grumete morto foi esfacelada numa só pancada de borduna (como se os selvagens suspeitassem estivesse o moço ainda vivo); quando escaldaram a pele, removendo os pelos todos; quando estriparam o corpo e o retalharam, pondo os pedaços numa grelha.

Estão também em Nuno Anes duas constantes dos relatos europeus sobre a antropofagia: a ferocidade das mulheres, particularmente das índias velhas — que se atiravam sobre o cadáver para comer as vísceras e chupar o cérebro do finado; e a presença impassível, altiva até, das crianças, que tinham o tórax e os membros superiores tingidos com o sangue da vítima.

Segundo o piloto, Lourenço Cão teria estimulado os nativos a massacrar, do mesmo modo, o resto da tripulação — quando teria cometido a suprema infâmia de provar da carne do capitão da armada (cujo nome a história omite).

E a narrativa avança. Lourenço Cão distribuiu entre os indígenas todo o conteúdo da capitânia: peças da armação, como facas e machados; instrumentos náuticos, como astrolábios e bússolas; objetos pessoais do capitão, como penas, tinteiros e o próprio diário de bordo; todas as armas portáteis; além de baldes, esfregões e o resto do material usado no serviço dos grumetes.

Tal espoliação já seria bastante para impedir qualquer viagem de volta; mas Lourenço Cão não se satisfez; e pôs fogo num longuíssimo estopim — antes de mergulhar e nadar em direção à praia, para se pôr a salvo da explosão do paiol, que incendiou a nau, ante o assombro dos selvagens.

Não estão claras as razões que levaram Nuno Anes, o gajeiro e o calafate a sobreviverem: a carnificina continuou, os portugueses, paulatinamente, foram sendo mortos e comidos.

Lourenço Cão se transformara num selvagem: era amigo dos indígenas, comia carne humana, andava nu, aprendera rapidamente a língua da terra e tinha duas esposas, filhas de índios principais.

Certo dia, no entanto, se internou na mata com alguns nativos. Teria ido (os três testemunhos coincidem) até um reino habitado apenas por mulheres.

Algum tempo depois, antes de Lourenço Cão retornar, os portugueses conseguiram fugir — quando foram resgatados pela nau de Lopo de Mendoza. E assim terminam os três depoimentos, dados no porto de Cádiz, em 1507, às autoridades espanholas.

Ressalto apenas uma sutil omissão: apesar de mencionarem as mulheres sem marido, nenhum dos depoentes se refere a minas de ouro e prata, ou a cidades reluzentes, ou a montanhas de cristal — do que se conclui seja bem posterior a associação entre o mito do Eldorado e as legendárias amazonas.

Certamente, surgiram depois da Casa de Pedra — que continha, oculto, o mapa de Lourenço Cão.

§2º
Extravio de Jerônima Rodrigues

Falei da ladeira, da muralha, dos fortins, das três ruas do morro do Castelo — mas ainda não descrevi a cidade velha, fundada pelo capitão Estácio no istmo entre o Cara de Cão e o Pão de Açúcar.

O Rio de Janeiro que surgiu ali, em 1565, era ainda mais precário, mais desprovido, mais improvisado: dois ou três arruados de casas de pau a pique e sapê, atravessados por alguns becos, tendo numa ponta a cacimba e na outra a ermida tosca, consagrada ao Padroeiro, além da torre de vigia, que não passava muito de uma escada terminando num jirau.

A cidade era cercada por uma paliçada dupla, à maneira da terra, feita com toras de guarajuba, jequitibá e outras madeiras pesadas, o que lhe dava um aspecto de aldeia indígena. Delimitavam o perímetro urbano, além dos dois morros, duas praias: a de dentro, na baía; e a de fora, no oceano.

Além do grande mar, a paisagem em torno era entrecortada por manguezais, lagunas, muitos morros e imponentes rochedos — contra o fundo labiríntico da mata.

Não sei se o leitor concebe essa floresta antiga, a selva tropical atlântica do Rio de Janeiro, no século 16. Um passeio pela que remanesce hoje pode dar, no entanto, uma noção. O que mais impressiona, naturalmente, é a majestade das árvores lenhosas, pesadas, de troncos grossos e altíssimas copas, alcançando facilmente vinte braças do chão: jequitibás, jacarandás, maçarandubas, ipês, canelas e cedros.

As copas desses seres gigantes, com sua espessa folhagem, fazem sombra densa, em certos pontos quase impenetrável; e derramam lá de cima todo tipo de cipós. A escuridão e os cipós não são, todavia, o grande obstáculo que a floresta oferece ao caminhante: mas as árvores menores, os arbustos (imbiras, unhas-de-vaca, açucenas, samambaiuçus) que ocupam praticamente todo o espaço entre as mais altas — fechando, desse modo, a passagem.

Além dessa dificuldade, o chão, sempre meio úmido, recamado de folhas secas, é um emaranhado de gravatás, caetés, cactos, orquídeas rasteiras — matos que impõem por sua vez um passo relativamente tardo.

Homens da cidade não estão naturalmente preparados para enfrentar uma floresta dessas. Mesmo aqueles primitivos aventureiros, os varões assinalados da épica lusíada, foram tomar dos índios as lições necessárias para entrar na selva. O que dizer, então, de uma mulher, nascida e criada numa vila litorânea, perdida num lugar assim?

Foi o que aconteceu com Jerônima Rodrigues. Um bom número de testemunhos constantes do inquérito faz menção a um período curto em que a mulher do serralheiro esteve perdida na floresta, não mais do que dez dias, entre a batalha de Uruçumirim e o começo da quaresma — ou seja, entre 20 de janeiro e 12 de fevereiro de 1567. Francisco da Costa seria assassinado quatro meses depois.

Sobre o sumiço, sobre o modo como ela desapareceu na mata, nada sabemos. Não é possível sequer determinar se ela se perdeu, propriamente, ou se foi vítima de um sequestro.

Creio mais na primeira hipótese. Mesmo para os índios, aquela floresta, assolada por feras homicidas e animais peçonhentos, era ainda habitada por espíritos perversos, por almas penadas que buscavam vingança, por encantados que capturavam sombras humanas e podiam até matar.

Como acontecera com milhares de imprudentes, Jerônima deve ter se aproximado demais da mata; talvez houvesse adentrado um território escuro e proibido. Perdera, assim (como era sabido, e até esperado), a noção do tempo, a percepção do espaço. Rompera, portanto, a temerária fronteira.

Há um dado relevante que convém logo referir: o caso de Jerônima Rodrigues não gerou, por si, nenhum processo, nenhuma demanda criminal, pública ou privada. Esses fatos só nos são conhecidos por terem sido mencionados, circunstancialmente, na devassa que apurava o assassinato de Francisco da Costa. Não temos, inclusive (e isso seria particularmente importante), depoimento direto do próprio serralheiro.

Na época, Francisco da Costa andou fazendo acusações, insinuando que a mulher havia sido raptada. Houve troca de injúrias, ameaças de morte entre ele e outros moradores — que acabaram depois implicados no homicídio.

Todavia, como não houve processo nesse caso do sumiço, estão irremediavelmente perdidas, para nós, as opiniões do serralheiro sobre o extravio da mulher; os elementos que dela conseguiu extrair; os fundamentos de suas suspeitas.

Podemos logicamente deduzir, no entanto, que a mameluca não confirmou as teorias do marido. Segundo três relatos, Jerônima Rodrigues declarou que, enquanto esteve perdida na floresta, teria sido feita prisioneira (é precisamente o que se lê) por um grupo de mulheres — logo associadas às lendárias amazonas.

Tenho boas razões para crer (e o leitor haverá de concordar) que tal declaração influiu decisivamente nos destinos dela e de Francisco da Costa.

É um dos mais antigos mitos americanos, o das mulheres sem marido. Colombo teve notícia delas logo na viagem inaugural, quando, em janeiro de 1493, um índio lhe descreve a ilha de Martinica, *povoada de mulheres sem homens.* O fanfarrão Vespúcio, numa de suas cartas, fala imprecisamente de mulheres que usam arcos, habitantes de uma região indefinida.

São referências muito vagas, portanto; e oriundas do Caribe. Uma das primeiras informações concretas sobre a existência de amazonas em território brasileiro é a do alemão Ulrich Schmidel, que subiu o rio da Prata e andou pelo interior do continente, na companhia do célebre tirano Cabeça de Vaca. Em torno de 1541, ou pouco depois, quando estava entre os índios xaraiés (região do pantanal de Mato Grosso), foi o alemão em busca das *amossenes*, que não eram exatamente mulheres sem marido.

Como lemos na sua relação, *se juntam com seus esposos três ou quatro vezes por ano.* Eram guerreiras, queimavam o seio direito para manejarem bem o arco, criavam apenas as meninas e viviam apartadas, numa grande ilha — enquanto os supostos maridos moravam em terra firme, guardando o ouro que era delas.

Schmidel, contudo, não chegou a vê-las. Tal privilégio coube a Francisco de Orellana, que desceu precisamente o *rio das amazonas*, até a foz. Frei Gaspar de Carvajal, cronista da viagem, conta como, em junho de 1542, na altura do rio Jamundá, os homens de Orellana enfrentaram mulheres guerreiras. Conhori, a rainha, mantinha sob tributo diversas nações de índios, era senhora de setenta aldeias de pedra, com portas, todas interligadas por estradas. Tinham muito ouro e muita prata; e templos para adoração do Sol.

Eram, essas, mulheres sem marido. E, quando sentiam desejos, faziam guerra e capturavam escravos. Dos frutos tidos dessas conjunções, só deixavam sobreviver as filhas.

Estão aí os elementos fundamentais do mito. Os demais escritores — Cristóbal de Acuña, Alonso de Rojas, *sir* Walter Raleigh, Yves d'Evreux, La Condamine, Gabriel Soares, André Thevet e outros — não mudam muito o panorama. Há apenas uma curiosidade, em relação ao último: Thevet acreditava que, pelo rio das amazonas, era possível chegar à França Antártica, ou seja, ao Rio de Janeiro.

Essa ideia, aparentemente extraordinária, tem todo o amparo na incipiente cartografia brasileira quinhentista, que faz nascerem todos os grandes rios do país numa imensa lagoa central: Eupana, Juparanã, Vupabuçu, Paraupaba, Morená, Lagoa Dourada, dos Xaraiés, de Jaci-Taperê ou Lagoa Encantada do Paititi — onde havia pedras e metais preciosos, propriedade de mulheres guerreiras, que não tinham maridos.

Ora, Lourenço Cão teria partido em torno de 1506 em busca de um reino habitado apenas por mulheres. O mapa que ensinava esse caminho (secretamente guardado na Casa de Pedra) tinha como centro precisamente uma grande lagoa. Era, certamente, o mapa das minas, do tesouro das amazonas.

Uma investigação que se retoma mais de quatro séculos depois de cometido o crime não pode prosperar sem uma crítica das fontes.

Ora, no que tange ao nosso caso, como se sabe, o idioma então falado em toda a capitania de São Vicente (e, por conseguinte, no Rio de Janeiro) era o tupi — a língua geral da costa, que os portugueses se viam forçados a aprender, com graus variados de proficiência. Assim, na devassa, para garantir o rigor das informações, havia sempre um língua, um intérprete, quase sempre um membro da Companhia de Jesus, que traduzia em português o que era dito na geral.

Temos, portanto, um problema sério de autenticidade: além da própria natureza imprecisa dos testemunhos (que raramente eram oculares, mas de ouvir dizer), os autos são constituídos, maciçamente, de traduções — das quais não temos mais como aferir a precisão.

Os três depoimentos que aludem à captura de Jerônima têm expressões distintas: "amazonas"; "tribo de mulheres"; "mulheres nômades". As autoras são duas mamelucas e uma índia livre, que não falavam português. Não sabemos se obtiveram a informação diretamente de Jerônima.

Qual terá sido a expressão exata dessas depoentes? Conhecemos algumas, usuais, como *temirecoeýma* (*mulheres sem marido*, ou, literalmente, *as que não vivem com homens*); *cunhãtecoeýma* (*mulheres sem lei*); e icamiabas (do nome de uma serra onde, segundo a lenda, tais mulheres habitavam). Qualquer um desses termos costumava ser traduzido por *amazonas*.

Tribo de mulheres, contudo, já soa estranho, porque inexiste, em tupi, o conceito de "tribo". A palavra mais próxima, *apyaba*, traduz tanto "gentio" como "homem, macho, varão". Assim, uma expressão como *cunhã apyaba* seria percebida como um oximoro, impossível numa linguagem trivial.

Por sua vez, *mulheres nômades*, embora plausível do ponto de vista linguístico (talvez *cunhanguatá*), tem o inconveniente de não corresponder à lição clássica do mito — pois as amazonas foram sempre descritas como sedentárias, senhoras de reinos e cidades.

Fica, assim, o mistério: como Jerônima Rodrigues terá se referido às suas captoras, na língua geral? Que coisas terá dito, se disse, sobre elas? Que costumes terá descrito? A que ritos foi submetida? Com que intento foi mantida prisioneira?

Como iremos ver, a história só começou a vir à tona depois do assassinato de Francisco da Costa.

Volto agora a uma questão do início do capítulo, que deixei, então, sem resposta: por que todas as autoridades convergiram para a tese única de crime passional, quando Francisco da Costa foi encontrado em frente à Casa de Pedra?

Por que — se estava desaparecido desde o dia anterior, se ficou oculto entre os mangues, numa atitude incomum, suspeita mesmo, olhando diretamente para a Casa de Pedra?

Por que — se essa Casa de Pedra estava associada à lenda de um mapa das minas? E se, naquele século, tais lendas eram tidas como verdadeiras, tendo levado aos sertões milhares de aventureiros, tendo forjado a personagem heroica do bandeirante?

Por que, se havia na Casa uma riqueza concreta, objetiva — tanto que o capitão Estácio mandara trancar suas portas?

Por que, sendo Francisco da Costa serralheiro? E por que, tendo sua bolsa desaparecido, bolsa que provavelmente conteria chaves e gazuas, não se suspeitou de que estava ali, na Carioca, exatamente para entrar na Casa de Pedra, tendo sido morto por um cúmplice traidor?

Por que ninguém imaginou que, sendo Francisco da Costa casado com Jerônima Rodrigues, tenha obtido da mulher alguma informação concreta sobre a localização das amazonas? E quis, assim, entrar na Casa para ratificá-la, ou para colher um dado suplementar?

São dúvidas suficientes para que os juízes do tempo houvessem ao menos investigado a hipótese. Torno a insistir, portanto, que há alguma coisa estranha; algo que escapou ao nosso exame; um dado tão evidente e conhecido que não foi preciso fazê-lo constar dos documentos; alguma razão muito óbvia para os homens daquele século, mas que as mentes de hoje já não conseguem captar, ou compreender.

A etnocriminologia, contudo, em sua vertente estruturalista, talvez dissesse que, nesse caso, não cabe discutir se foi um crime de natureza passional ou monetária. Esses motivos, na verdade, se confundem. Ou melhor: são circulares.

Francisco da Costa foi assassinado em frente à Casa de Pedra; a Casa de Pedra escondia o mapa de Lourenço Cão; o mapa de Lourenço Cão assinalava uma grande lagoa; a grande lagoa era habitada por mulheres sem marido; mulheres sem marido aprisionaram Jerônima Rodrigues; Jerônima Rodrigues era casada com Francisco da Costa.

CAPÍTULO TERCEIRO

"(...) bom é não me meter em terra
nem me chegar a ela
se não houver muita necessidade,
e então com muito resguardo.
E partirei deste Rio de Janeiro (...)"

Roteiro de todos os sinais na costa do Brasil,
anônimo do século 16

"Deixai toda esperança, vós que entrais!"
Comédia (canto terceiro do Inferno),
Dante Alighieri, século 14

§ 1º
A perfídia de dom Rodrigo de Vedras

No dia 13 de junho, sexta-feira, Inês Flamenga, natural da cidade de Antuérpia, escrava do genovês Mateus Cavério, ouviu, tarde da noite, ou já na madrugada de sábado, por duas vezes seguidas, o pio longo, monótono, de um macuco. Tinha, a Flamenga, mais de vinte anos na terra, grande parte deles como refém dos índios; e sabia, portanto, que, àquela hora, macucos não repetem o pio.

Desceu então da rede, receosa, imaginando pudesse ser alguma onça — pois esse animal também imita, como os caçadores, o pio dos macucos. Ouvira dizer que onças vinham atacando as sesmarias da cidade. E tinha havido um caso em Irajá que ela mesma testemunhara, quando dois cavalos apareceram despedaçados, de manhã — obra certamente de mais de um animal. Assim, com esse temor, foi Inês Flamenga até a rótula, espiar a rua.

A casa de Mateus Cavério, no Castelo, ficava na rua de trás, quase esquina com a direita. Dali, Inês viu dois vultos de homem, que desciam, na direção das obras da Sé. Julgou compreender, então, por que o pio do suposto macuco estava em desacordo com a hora: deviam ser pessoas inexperientes, ou talvez tivessem combinado o sinal errado de propósito, para que não se confundissem. Ficou então ali, Inês Flamenga, ansiosa, observando, durante um tempo que não soube precisar.

Naquela época, o Rio de Janeiro não dispunha de iluminação pública: eram os próprios moradores que acendiam lampiões ou velas nos nichos de santos, postos do lado de fora das casas, ao lado da porta. Alguns, àquela altura, estavam já possivelmente apagados.

Não acredito, por isso, que a Flamenga tenha distinguido o rosto do homem que retornava. Mas talvez pelo passo, pelo porte, pela imensa capa que lhe cobria os ombros, pelo ponto da rua onde parou, pôde afirmar que se tratava de dom Rodrigo de Vedras.

Esse testemunho, por mais absurdo, foi considerado decisivo pelas autoridades, pois coincidia com o primeiro depoimento de Jerônima Rodrigues, que também divisara um vulto passar pelo cotovelo da rua de trás, que ficava precisamente naquela altura. Os movimentos, contudo, não eram paralelos: Inês vira dois homens, descendo em direção à Sé; Jerônima, apenas um, que dobrara o cotovelo para vir ao seu encontro.

Pesou muito para a convicção dos juízes, é óbvio, o interesse do fidalgo pela mulher do serralheiro. Na época do duelo travado com Martim Carrasco pela posse de Jerônima, houve um grande burburinho na cidade velha, porque dom Rodrigo teria ameaçado raptar a mameluca. Isso levou o capitão Estácio a pô-la sob custódia em sua própria casa. Talvez por isso, o primeiro cidadão acusado por Francisco da Costa de ter sequestrado a mulher, depois que ela se perdeu no mato, tenha sido dom Rodrigo de Vedras — que certamente não tolerou tal insulto, vindo de um peão.

Acho até bem plausível, no que tange a dom Rodrigo, o motivo da vingança: fidalgos portugueses eram mesmo dados a esses rompantes. Não sei se chegaria a matar por isso. A importância dada ao testemunho da Flamenga é que foge ao meu alcance. Não tanto pelas divergências em relação aos vultos noturnos — mas porque não há evidência de que essas visões tenham ocorrido no mesmo momento.

Num romance policial contemporâneo, ou passado em era mais moderna, além de toda a parafernália dos laboratórios, dispomos de certa precisão dos cronômetros. Em 1567, no Rio de Janeiro, o único instrumento de medir o tempo era o velho relógio de sol dos jesuítas. E como também ainda não houvesse sinos nas igrejas inconclusas, eram os galos que marcavam as horas da madrugada e do começo da manhã. Havia já dezenas deles na cidade; mas, como todos adivinham, a hora do galo não é tão exata.

Inês Flamenga afirmou que a volta de dom Rodrigo de Vedras ocorreu cerca das cinco horas da manhã de sábado, porque ouviu o canto do galo algum tempo depois. Jerônima Rodrigues, por sua vez, declarou apenas ter saído de casa no início da noite, pelo que se presume tenha visto o seu espectro ainda na sexta-feira.

Mas o maior problema, me parece, é ainda outro: a ausência de conexão provada entre alguns desses vultos e a pessoa de dom Rodrigo. Como ele próprio afirmou, permaneceu recluso em Paquetá, naquela sexta-feira; e de fato não fora visto por ninguém, durante o dia, no Castelo ou em qualquer outro lugar. Como já se disse, a cidade tinha muros; as portas, à noite, permaneciam fechadas; e havia sentinelas.

Alguém pode alegar que o acusado era o alcaide-mor, que podia entrar e sair da cidade a qualquer hora, que as sentinelas não denunciariam o seu supremo comandante. Não deixam de ser, todavia, alegações.

O fato é que as qualidades de fidalgo cavaleiro e alcaide-mor não impediram dom Rodrigo de Vedras de figurar entre os réus. O genovês Mateus Cavério, também fidalgo e senhor de Inês Flamenga, se dispôs a pagar a fiança, estipulada em cem cruzados, para que ele se defendesse em liberdade. Eram velhos inimigos, Mateus Cavério e dom Rodrigo, nas disputas pela posse da Casa de Pedra.

Apesar da declaração de Inês Flamenga (que constou de um documento público, e muito formal), a história do ataque das onças à cidade do Rio de Janeiro está certamente na esfera da lenda, quase na do mito.

Os relatos não apenas mencionam acidentes fortuitos, que ocorriam eventualmente porque toda a Guanabara era ainda cercada de florestas: contam casos meio sobrenaturais, de assaltos maciços, em que inúmeras daquelas feras se agregavam para emboscar seres humanos, a ponto de terem sitiado a cidade velha — e provocado a mudança para o morro do Castelo.

Como se sabe, onças não vivem em bandos. Racionalmente, portanto, não se pode validar narrativas como essas, para fins historiográficos. Mas talvez se justifiquem por conter outro tipo de verdade: o terror, e o fascínio, que aquelas feras exerceram sobre a primitiva população do Rio de Janeiro — que nisso nunca diferiu dos índios.

Como outros grandes predadores, a onça conjuga as três qualidades fundamentais, elementares, que a espécie humana tem reconhecido como máximas, desde a alta pré-história: a força, a beleza e a impiedade. Admiramos, particularmente, essa última virtude.

Assim, enquanto os tupis contavam casos de feiticeiros que se transformavam em felinos, os primeiros cariocas acreditaram que sua cidade fora cercada por espíritos materializados em onças, que atacavam homens.

Sobre a personagem de dom Rodrigo de Vedras, há fatos e lendas. Sabemos que esteve entre os primeiros povoadores da vila de São Vicente, fundada por Martim Afonso de Sousa em 1532. Já no ano seguinte, aparece como signatário numa petição dos moradores ao capitão-mor. Devia ter quase trinta anos e ainda não herdara o morgadio de Vedras nem o título de dom.

Veio para São Vicente depois da morte da cunhada e do irmão menor. Parece que a moça tinha sido antes prometida a ele, o morgado da família. Inconformado, Rodrigo convida o casal para um passeio, a pretexto de uma reconciliação. Quando estavam longe, sozinhos, na estrada penumbrosa, é que mata os dois, a punhaladas, dentro da própria carruagem.

Embora houvesse obtido a solidariedade dos parentes (salvo a da mãe, que o amaldiçoou), preferiu fugir. Era homem violento, de costumes dissolutos, mas infinitamente leal à honra e à palavra. Há controvérsias sobre seu crime decorrer dessa virtude, ou dos defeitos.

Em Portugal, encobriram o caso, ou encontraram um cocheiro que levasse a culpa. Rodrigo, todavia, nunca mais voltou. Recebeu da mãe, mais tarde, notícias da herança; e um sinistro retrato, óleo sobre tela, que eternizava o beijo entre os esposos nus, e mortos, no assento do carro.

Participou ativamente da expulsão dos franceses e da fundação do Rio de Janeiro. Por esses e outros muitos serviços prestados à coroa, em mais de trinta anos de vida colonial, dom Rodrigo de Vedras teria merecido a sesmaria da Carioca. Ficou, todavia, com a ilha de Paquetá, doada pelo capitão Estácio. Mem de Sá o nomeou ainda alcaide-mor da cidade.

Diziam que dom Rodrigo tinha barbas longas e brancas; e andava sempre de preto, com uma enorme capa, espada e chapelão. Paquetá era ao mesmo tempo fortaleza e eremitério, onde não eram bem-vindos visitantes. Ninguém ousou desafiar dom Rodrigo, invadindo seus domínios, quando o acusaram de manter Jerônima Rodrigues sequestrada em sua ilha.

Haveria ali, em Paquetá, construída pelo cavaleiro, uma masmorra profunda, onde dom Rodrigo mantinha presas inúmeras escravas. Quando descia para se desenfadar, mandava acender enormes castiçais de prata, que iluminavam aquele retrato maldito enviado pela mãe.

Sobre a inimizade entre dom Rodrigo de Vedras e Mateus Cavério, há uma anedota referida pelo conde Ermanno Stradelli, que publicou e comentou uma coleção de cartas escritas por membros daquela última família.

A história está, contudo, no seu *Manual de caça* e consta do capítulo principal, que trata dos veados. Caçadores são, em geral, fascinados por essa espécie de animal. Desde a antiguidade, e por todo o velho mundo, o veado é a caça grande, a caça por excelência — tanto que *venatus* e *venatorius*, em latim, confundiam, etimologicamente, os conceitos de "veado" e "caça".

Entre os nativos, tal noção se repete: *cyguaçu* (aportuguesado em "suaçu") é o termo que traduz "veado", com o sentido de "mãe grande" — já que os índios evitavam chamar o bicho pelo nome verdadeiro. Não era propriamente um animal: mas um espírito tutelar das matas, arisco, traiçoeiro, extremamente vingativo.

A caça do suaçu era, por isso, cercada de superstições. Quando abatiam um veado, os tupis lhe esquartejavam os traseiros, que eram abandonados na floresta — para que a Mãe Grande não lembrasse já ter sido, no passado, humana.

Há várias espécies brasílicas do veado: suaçuapara ("veado torto", ou seja, do chifre torto); suaçueté ("veado por excelência", a maior das espécies); suaçutinga ("veado branco", por causa do círculo alvacento ao redor dos olhos); suaçupitanga ("veado vermelho"). Não sabiam qual delas iriam encontrar, Mateus Cavério e dom Rodrigo, quando foram bater as matas do sertão de São Vicente, atrás da grande veação.

O português vinha armado com uma besta, enquanto Cavério trazia uma espingarda. Um guaianá, de arco e flechas, era o guia, era quem seguia o rastro do animal, orientando os caçadores.

Para quem não sabe, há qualidades de veado que habitam matas bem fechadas. E a dificuldade, numa caçada dessas, é andar pela floresta sem abrir trilhas nem mexer arbustos. Era o que fazia o guaianá, quando disse: *cyguaçu*.

Não perceberam a presa, os dois fidalgos. E o animal, pressentindo presença humana, já se embrenhara de novo, tentando confundi-los. Continuaram, porém, naquela direção, com passos leves, comedidos. O guaianá, que ia à frente, parou, de súbito, apontando alguma coisa, longe. O italiano percebeu, então, bem no fundo do mato, o dorso pardacento de um bicho, em contraste com o verde da folhagem. Era o veado que procuravam.

Avançaram, então, atrás do guia, ainda mais devagar. E avistaram outra vez o pelame pardo, mais longe um pouco. A floresta — sombria, fechada, emaranhada de embiras e cipós — permitia apenas uma visão fugaz, instantânea, do suaçu. O guaianá, contudo, notou alguma particularidade, talvez decorrente do tipo de passada ou do matiz do pelo, porque conseguiu identificar a espécie: suaçurana.

Nem Cavério nem Rodrigo conheciam aquela raça. Mas devia ser um tipo raro, a julgar pelo nome. Em tupi, o sufixo *rana* ("semelhante a", "parecido com") é usado para designar variantes próximas de uma mesma espécie — como no caso de *jaguara* (onça-pintada) e *jaguarana* (a que parece onça-pintada, ou seja, a onça-preta).

A correlação entre suaçu e suaçurana (os fidalgos devem ter pensado) talvez envolvesse algum pormenor relativo a manchas da pelagem ou ao aspecto do chifre, pois o veado que perseguiam era predominantemente pardo, como os demais suaçus.

Fascinados com aquela possibilidade, a de matar um espécime mais raro, os caçadores tomaram a frente, porque o guaianá parecia estar com medo e ficara muito atrás. Como não tinham visto o bicho inteiro, somente aquela mancha parda se movendo na mata, não sabiam se os suaçuranas eram particularmente perigosos, se eram do tipo galhado ou de cornos pontudos — que tem, segundo os índios, melhor carne.

A floresta, de repente, abriu, perto de um pequeno córrego, onde havia uma lapa, nem muito funda, nem muito alta. O genovês percebeu que o bicho se abrigara ali. Pediu a dom Rodrigo que lhe desse cobertura, pela esquerda, enquanto ele se aproximava da entrada. Caso errasse o tiro ou o animal tentasse fugir primeiro, o português acertaria a presa com a besta. E teve tempo, então, de socar a pólvora no cano da espingarda, introduzir o pelouro, encher a caçoleta e acender a mecha.

Como sabe o leitor, as espingardas dessa época eram muito pesadas e necessitavam de um apoio para o cano (uma forquilha, por exemplo) no momento do tiro. Mateus Cavério tinha, para esse fim, escolhido o tronco de uma árvore seca, defronte à boca da furna. Mas não chegou a fazer mira.

O genovês (traído pelo mau aprendizado do tupi) não se deparou com um veado. Aquilo que chamavam "suaçurana", apesar de conter o radical "suaçu", era uma enorme onça-parda — que, acuada, deu o bote contra ele.

Por sorte, conseguiu atirar, ainda que a esmo, enquanto pulava para se esquivar do ataque. A fera chegou a lhe assestar uma patada no ombro, mas se assustou com o estrondo do disparo e desistiu da luta.

De Rodrigo de Vedras, que lhe dava cobertura, nem sinal. Disse mais tarde, o português, que voltara para buscar o guaianá, não imaginando tudo fosse acontecer tão rápido.

O conde Stradelli, então, remata a narrativa, explicando por que, na estranha concepção daqueles índios, a suaçurana (a que parece veado, a onça-parda) não é classificada como um dos tipos de onça. A onça-parda não é onça porque não se comporta como onça. É um tipo de veado, porque parece caça. Finge, na verdade, ser a própria caça, para emboscar o caçador.

Dom Rodrigo de Vedras tinha, concretamente, interesse na Carioca, desde o tempo em que morava em São Vicente. Perdeu essa disputa, contudo, para Mateus Cavério. E também não foi agraciado pelo capitão Estácio.

Perdeu também Jerônima Rodrigues, que se casou com um simples serralheiro. Essas duas derrotas devem tê-lo tornado um homem amargo — e seguramente contribuíram para a lenda que se ergueu em torno dele.

Na devassa, os testemunhos apenas mencionam acusações genéricas (e talvez infundadas), feitas por Francisco da Costa, no período em que Jerônima esteve desaparecida. O serralheiro, contudo, como já se disse, andou atribuindo o sequestro da mulher a outras pessoas — o que me parece enfraquecer completamente a hipótese, até porque o tal sequestro nunca foi provado.

É isso — mais o depoimento de Inês Flamenga — o que existe contra dom Rodrigo. Apesar de ter ficado livre com a condenação de Simão Berquó, cometeu a imprevidência de se ausentar da cidade, durante o inquérito, perdendo por isso o cargo de alcaide e sendo condenado à pena de degredo, por um ano, no próprio Rio de Janeiro.

O estigma de ser um traidor do próprio sangue, mais que a maldição da mãe, influiu, parece, no destino desse homem.

§2º

A artimanha de Afonso do Diabo

Nada conhecemos da vida pregressa, em Portugal, do cidadão Afonso, de alcunha o Diabo, ou, conjuntamente, Afonso do Diabo. Sabemos apenas que já participava de expedições atrás de minas desde 1554; que não sabia ler e escrever (pois, na devassa, seus depoimentos foram firmados pelo tabelião); e que, apesar disso, era armeiro, artilheiro e bombardeiro, tendo exercido essa última função na tomada do forte de Serigipe, em 1560.

Quando Mem de Sá entrou no Rio de Janeiro para expulsar os franceses, vinha com duas naus e oito navios menores, entre caravelões, galés e bergantins, mas com pouca gente. Afonso era o bombardeiro de um desses navios, provavelmente da própria capitânia.

Como sugerem as crônicas do tempo, houve sérias dissensões sobre a estratégia de combate. Mem de Sá (isso está numa carta endereçada à regente) considerava inexpugnável a posição francesa. Os invasores estavam fortificados numa pequena ilha defronte do morro do Castelo: a de Serigipe (hoje integrada ao continente, como parte do aeroporto Santos Dumont).

Serigipe era um castelo natural, uma pedreira circular com um vão no meio. Havia uma pequena passagem, uma fissura entre as rochas, na parte de trás (que era talvez o único ponto vulnerável), dando para essa grande área plana. O resto eram as paredes de pedra. A cidadela fora construída no centro da ilha, inscrita no círculo rochoso.

O plano inicial dos portugueses era desembarcar todo o efetivo da armada mais para o fundo da baía, num ponto onde poderiam se aproximar por terra e assaltar mais facilmente a ilha por sua única passagem. Até hoje não se sabe o nome de quem aconselhou o contrário, indicando como melhor lugar precisamente a Carioca — onde as duas naus, pelo maior calado, não puderam ancorar.

A pé, dali, era impossível avançar, porque dariam naqueles mesmos pântanos que se interpunham entre a zona do delta e o morro do Castelo. E as naus, isoladas no meio da baía, não tinham como enfrentar a fortaleza.

Esse erro impediu o ataque noturno. E, no dia seguinte, com céu claro, a batalha foi só de artilharia. Não houve baixas, pelo menos. Mem de Sá intimou o comandante francês a se render — fato que, obviamente, não aconteceu. Os portugueses quase já não tinham munição;

e os soldados, insuflados pelos capitães descontentes, apoiavam a retirada. O governador-geral, todavia, hesitava. É quando entra na história, propriamente, Afonso do Diabo.

Imagine, o leitor, a cena — que não é de romance, pois está nos livros: o bombardeiro Afonso, sem dizer nada a ninguém, sem pedir autorização dos capitães, se atira da amurada, mergulha nas águas da baía e começa a nadar na direção da fortaleza, sem ser percebido pelos inimigos. Alcançada a ilha, Afonso faz, então, contra toda probabilidade, o caminho mais direto, e menos óbvio, para invadir a cidadela: escala a pedreira. Vou dizer de novo: o bombardeiro Afonso do Diabo escalou o imenso penhasco, íngreme, liso, insuperável. Escolhera a vertente mais difícil, a mais inacessível.

Não sei dizer se ele, Afonso, conhecia algum mapa do forte de Villegagnon. Não sei se Mem de Sá conhecia esse plano: o fato é que, atingido o cume, Afonso entrou, despercebido (porque era um só), precisamente no paiol.

A evolução científica e técnica que deu às armas modernas tanta eficácia e um poder tão grande de destruição tirou da guerra toda a sua beleza, toda a sua poesia. Porque a guerra era, no passado, uma arte. Talvez a mais arcaica delas; a mais completamente humana, na sua gênese.

É por isso muito curiosa a opinião vulgar que põe a civilização da Grécia acima da de Roma, pelo critério das artes e da filosofia. Não passa (me parece) de um equívoco: nenhum artista, nenhum filósofo grego alcançou a perfeição estética e intelectual dos generais romanos no campo de batalha.

Ora, aquele pequeníssimo país que era Portugal foi o herdeiro legítimo desse espírito romano, não apenas por ter mantido o gênio do latim, mas por sua vocação bélica. Ninguém, naquela época, lutava como um soldado português. E foi aquilo que se viu: o bombardeiro Afonso contra trezentos franceses.

Falei há pouco em milagre: pois quando os franceses viram tombar um dos homens com um tiro vindo de dentro do paiol, imaginaram haver dezenas de inimigos já dentro da sua praça, prontos para explodi-la. E debandaram, fugindo para os navios ou se internando pelo mato, para buscar a proteção tamoia.

Estava livre o Rio de Janeiro. A costa do Brasil voltava agora, inteiramente, à posse da coroa portuguesa. E o bombardeiro entrava nessa história apenas com o nome: Afonso do Diabo. Receberia do capitão Estácio, em 1565, a sesmaria de Ipanema, que vendeu depois, sem explorar. Na época do assassinato de Francisco da Costa, exercia o cargo humilde de carcereiro da cidade.

A primeira insinuação sobre um adultério cometido por Jerônima Rodrigues consta do depoimento de Bárbara Ferreira, cristã-nova, natural de Coimbra, então com cerca de quarenta anos.

Sabemos muito pouco sobre essa personagem: tinha sido enviada de São Vicente para o Rio de Janeiro, como outras mulheres, como a própria Jerônima, para casar. Não há registro, contudo, desse matrimônio. De sua história na cidade, temos somente notícia de que morava em Perotapera, na sesmaria de Pero Velho; e de que respondia a uma acusação de furto, feita à mesma época da morte de Francisco da Costa. Falta, infelizmente, a conclusão desse processo.

Naquele que nos concerne (o do assassinato do serralheiro), Bárbara Ferreira afirma ter testemunhado encontros, dias antes do crime, entre a viúva e o carcereiro Afonso, de alcunha o Diabo. Disse ter advertido Jerônima, sobre receber um homem em casa, durante a ausência do marido. O pretexto para incorrer em tamanho risco, segundo a cristã-nova, era a paixão da mameluca pela carne de macaco — que o carcereiro lhe trazia, às escondidas.

É perceptível nessa passagem uma reprovação tácita ao consumo desse tipo de caça, por suas ligações simbólicas com o canibalismo. É sabido que macacos são a carne preferida dos indígenas, ainda hoje. E, naturalmente, no século 16, muitos mestiços devem ter se afeiçoado a ela, assim como portugueses. O senso comum, contudo, considerava aquilo coisa de selvagens; e a menção a tal pormenor, no testemunho de Bárbara Ferreira, só pode ter o escopo de reforçar, na viúva, certa desqualificação moral.

Mas não podemos mais interrogar a cristã-nova, não temos como surpreendê-la, no momento em que acusou. Estão perdidos, para sempre, sua expressão facial, seu tom de voz, os movimentos que executou com as mãos, enquanto dizia aquelas coisas graves.

Não tentarei, portanto, demonstrar (para defesa de Jerônima ou de Afonso do Diabo) que Bárbara Ferreira tinha inveja da mulher do serralheiro: mameluca, cobiçada por tantos — enquanto ela, branca, numa cidade com mais homens que mulheres, aos quarenta anos permanecia solteira.

O nome de Afonso do Diabo se liga ainda à lenda da zona conhecida por Ipanema, a lagoa fedida. Nas matas que ficavam ao fundo da lagoa, viveram os famigerados carajás, que Léry chegou a arrolar entre os inimigos históricos dos tupis.

Não se confundem (afirmo eu) com a nação homônima do Brasil central, parente dos xambioás e javaés. Os carajás da mitologia carioca eram um povo canibal que não bebia água — apenas sangue. Foram gente pacífica, no princípio dos tempos, que não conhecia o segredo do fogo. Ficaram ferozes, todavia, quando começaram a copular em posição ventral, imitando a dos tupis. Desde então, adquiriram o poder de se transformar em onças. Não consegui decifrar o significado desse mito.

Apesar de toda a sanha, seu alimento principal continuava a ser frutas e morcegos. E só atacavam pessoas, só viravam onças quando eram vistos — pois nada lhes dava mais aversão, nada lhes era mais intolerável, mesmo a distância, mesmo à luz do dia, que o brilho de um olhar humano. Era uma temeridade, portanto, procurá-los de olhos abertos. Quem quer que os tenha observado não sobreviveu para descrevê-los.

Houve um grupo de vicentinos, contudo, que decidiu, certo dia, muito antes da fundação da cidade, enfrentar os carajás. Os tupis da Guanabara desaconselharam a empresa. Foi em vão: o comandante português (chamado Afonso, que dizem ser o mesmo do Diabo) obrigou alguns homens a acompanhá-lo na invasão da floresta.

Os carajás tinham o lúgubre costume de enterrar nas águas da lagoa o esqueleto das pessoas devoradas. Não vinham até a praia, no entanto, para esse funeral: atiravam os ossos de longe, de dentro da mata. Um a um (como o mesmo comandante constataria depois), os esqueletos dos vicentinos foram sendo atirados na lagoa, quando eram prontamente recolhidos pelos tupis.

Um dos portugueses chegou a escapar da mata, ainda vivo. Tinha um dos olhos vazado e feridas enormes pelo corpo, como se fossem mordidas. Um dos braços, inclusive, estava totalmente despedaçado, com os ossos à mostra. Morreu, todavia, antes de contar a história.

Uma semana depois, exatamente, rompeu na praia o comandante Afonso. Os tupis o resgataram, com o corpo intacto, mas quase morto de sede. Contou que nunca penetrara em selva mais escura; e que tão logo avançaram pela mata ficaram todos meio ensurdecidos — tamanho era o barulho, por toda parte: roncos grotescos, guturais, misturados com palavras.

Constatou, assim, que a ilha era mesmo povoada. E conseguiu compreender frases completas, naqueles grunhidos, embora não distinguisse bem em que língua falavam; conseguiu compreender (apenas isso importava) que estavam sendo ameaçados. Foi quando um dos companheiros disse ter visto um carajá. Afonso não quis repetir a experiência.

Começou, então, a correr, porque pressentiu o ataque, pressentiu que o companheiro estava sendo retalhado vivo. Como tinha perdido a direção de onde viera, demorou até chegar na praia. Só não acreditou, o comandante, como lhe disseram os índios, que levara naquela fuga uma semana.

Sobre os carajás, respondeu que não vira nenhum deles; que sentira, na verdade, um medo desesperador; e que manteve, por isso, o tempo todo, desde o início, os olhos bem fechados.

O segundo testemunho relevante contra Afonso do Diabo foi dado por Crispim, sapateiro. A cena aconteceu no mês anterior ao do crime, no baluarte da Sé. Parece (presunção minha) que o carcereiro Afonso exercia também as funções de bombardeiro dos fortes do Castelo. Numa cidade improvisada como o antigo Rio de Janeiro, tal informalidade não era um absurdo.

Ao que tudo indica, Afonso do Diabo comandava, ou ao menos encobria, o jogo de dados no interior do baluarte. Eram, os jogos de azar, proibidos desde o tempo do capitão Estácio. Mas não é impossível imaginar que Mem de Sá os tolerasse, se não fossem à vista de todos.

Certa noite (declara Crispim, sapateiro), Francisco da Costa começou a dobrar apostas, seguindo sempre a mão do carcereiro. Afonso ficou incomodado com aquilo e não escondeu sua irritação. Disse que, se o serralheiro fosse homem, daria seus próprios palpites em vez de copiar o dos outros. Francisco da Costa sorriu de um modo muito particular, afirmando preferir confiar na sorte do Diabo.

Então, numa outra rodada, Afonso propõe um duelo, uma aposta direta contra o marido de Jerônima Rodrigues, valendo nada menos que a própria mameluca. Os parceiros impediram que essa afronta resultasse em briga. Mas o caso não termina nisso. Conta o depoente que, dias depois, o serralheiro teria ido procurá-lo, em casa, com um assunto que tivera até então muito temor de revelar.

O marido de Jerônima vinha há tempos desconfiando da sorte incomum do carcereiro, nos dados. Por isso, passara a jogar sempre na mão dele. Naquela noite, decidira não tirar os olhos do Diabo, das mãos do Diabo, até surpreender a trapaça. E foi o que ele, serralheiro, viu: Afonso trocou sutilmente um dado por outro — dado esse que caiu com o número pretendido.

Pelos cálculos de Francisco da Costa, o carcereiro devia ter já uma fortuna. E lembrou casos, partidas memoráveis em que homens ricos perderam muito dinheiro. Não mencionou Jerônima. Não tinha, parece, intenção de se vingar de nenhum insulto. Pelo contrário, queria deixar a cidade, talvez voltar a Portugal.

Na prática, o que o serralheiro fora propor ao depoente era um acordo escuso: um conluio, entre os dois, para extorquirem aquele dinheiro sujo, roubado no jogo por Afonso do Diabo.

Se foram vagas, imprecisas, as bases da acusação contra dom Rodrigo de Vedras, as que serviram contra Afonso do Diabo eram bem diretas: o carcereiro — como outros oito acusados — não estava no Castelo no momento da morte de Francisco da Costa. Como antecipei no primeiro capítulo, antes de Simão Berquó voltar da Carioca para dar a notícia do crime, admitira, o Diabo, ter saído da cidade, para ir à caça, como ratificaram testemunhas que o viram descer a ladeira.

Pôde, assim, dada a oportunidade, ter matado o serralheiro para se ver livre de uma extorsão (como insinua o sapateiro); ou de um marido ciumento que desconfiava da mulher (segundo o relato de Bárbara Ferreira).

O leitor perceberá, no decorrer da narrativa, que o rigor dessas acusações oscila muito e nem sempre os elementos constantes dos autos são coerentes ou minimamente verossímeis para sustentar um libelo. Isso se deve, me parece, à própria natureza do processo penal quinhentista: naquele tempo, não havia investigação propriamente dita; não havia uma polícia independente. As autoridades que apuravam eram as mesmas que julgavam o crime.

Além disso, era do réu o ônus da prova; era o réu quem devia demonstrar sua inocência diante dos juízes — não o contrário. E Afonso do Diabo, que alegara ter ido à caça na manhã de sábado, não tinha testemunhas para apresentar.

Mas há, no inquérito, algo que me soa estranho: as perguntas dirigidas ao carcereiro, feitas pelo inquiridor Gomes Torrinha (futuro acusado desse mesmo crime), não tocam no incidente do baluarte da Sé, não admitem a hipótese da extorsão. Podem ter presumido — é verdade — que Francisco da Costa, sem a cumplicidade do Crispim, sapateiro, não tenha chegado a ameaçar Afonso; podem não ter acreditado na história das trapaças; o Diabo talvez não exibisse sinais exteriores de riqueza. O carcereiro, inclusive, segundo Bárbara Ferreira, entrara na casa de Jerônima quase um mês depois do conflito no baluarte.

Não deixa de ser, todavia, algo que devesse ser investigado. Para os juízes, no entanto, era um axioma: quem matou o serralheiro matou por causa de Jerônima Rodrigues.

§3º
A temeridade de Tomé Bretão

Na manhã de sexta-feira, 13 de junho, véspera do dia em que acharam o corpo de Francisco da Costa, o tuxaua Boiarão, Cobra Feroz, da redução de Icaraí, na margem oriental da baía, cercou com uns duzentos temiminós o curral de Gragoatá, propriedade do provedor-mor Antônio de Mariz, cujas terras partiam com as da aldeia.

Cobra Feroz reivindicava, irredutível, que lhes fosse entregue certo francês, escravo de guerra, conhecido por Tomé Bretão — pois esse homem lutara ao lado dos tamoios e matara alguns dos seus parentes. Eram fatos de mais de dez anos; mas aqueles índios volta e meia recordavam inimizades antigas e se viam tomados por um tremendo ímpeto de vingança. Para os jesuítas, era a maior dificuldade encontrada na catequese: incutir nos selvagens a noção de paz, de reconciliação.

Antônio de Mariz, assim, não debelou o cerco; apenas conteve os temiminós, com diplomacia. Disse que falaria, primeiro, com o governador. E, enquanto corriam as negociações, deixou Tomé Bretão asilado em sua casa, protegido por homens bem armados. O impasse avançou pela noite de sexta.

Lemos isso nos autos da devassa, no depoimento do mesmo provedor-mor. Por isso, ficaram todos muito surpresos quando Tomé Bretão apareceu no topo da ladeira do Castelo cerca de meio-dia de sábado.

Como o próprio réu declarou, fugira alta noite, de Gragoatá, temendo que Boiarão invadisse o curral para matá-lo. Disse que escapara numa igara e fora contornando o recôncavo, se escondendo nos matagais das margens da baía, até alcançar a cidade. Não tinha, assim, testemunhas de onde esteve, entre a meia-noite e o meio-dia; não podia provar, portanto, que não estava na Carioca, na hora da morte de Francisco da Costa.

Contra Tomé Bretão, os principais depoimentos foram os de duas temiminós livres e batizadas: Tomásia, do aldeamento de Jabebiracica; e Domingas, do de Icaraí. Disseram apenas que, durante o tempo em que Jerônima Rodrigues ficou desaparecida, o francês esteve na mata com uma "mulher branca" (as indígenas às vezes não distinguiam as mestiças das portuguesas). E que isso era sabido de muitas índias e de algumas mulheres da cidade. Certa Miguela, mameluca, confirmou o fato.

Há um curioso pormenor, quase uma anedota, relativo ao testemunho dessas duas índias. No de Domingas, ela se refere ao Bretão como *nosso inimigo*. A expressão é compreensível, e verossímil, pois se trata de uma temiminó e de um francês.

Todavia, na declaração de Tomásia o mesmo Tomé Bretão é chamado de *nosso cunhado* — o que parece estranho, à primeira vista.

Certamente, o problema é da tradução. Em ambos os casos, as temiminós devem ter empregado a palavra *tobajara*, que tem as duas acepções. Etimologicamente, é um composto de *tobá* (rosto, face, a parte da frente) e *jara* (o dono, o senhor, o que toma ou apanha). Assim, significa "o que está em frente" ou "o que toma a vista". *Tobajara* é quem se volta contra um outro; quem observa, de uma perspectiva oposta.

Para explicar por que razão se desdobraram desse sentido primitivo, literal, tanto a acepção de cunhado quanto a de inimigo, é possível formular duas hipóteses: a primeira, mais plausível, supõe que originalmente, em eras priscas, nos primórdios daquela grande nação, um pequeno grupo familiar, para evitar o incesto, trocou suas irmãs pelas de outros, que ocupavam o lado oposto da fronteira. Os inimigos passaram, então, a ser cunhados.

Há, naturalmente, um dado cultural que fundamenta a explicação: quando capturavam um inimigo, antes de sacrificá-lo e comê-lo, os tupis davam a ele uma mulher. O inimigo, assim, se transformava, literalmente, em cunhado.

E vivia como um membro da família. Participava de todas as atividades: caçava, pescava, roçava e se divertia com os demais. Em nenhuma hipótese fugia. É a esse costume que Gonçalves Dias alude na intriga nuclear do célebre *Ijucapyrama*.

Essa é, contudo, a primeira justificativa para o duplo sentido do vocábulo. Os argumentos saem do mesmo enredo, dos ritos relativos ao sacrifício canibal. Sempre que os padres tentavam libertar um prisioneiro, era este normalmente quem primeiro rejeitava o favor, preferindo morrer e ser devorado. Com isso, diziam atingir a terra-sem-mal: *ybymarãeýma*, literalmente a "terra sem guerra", onde não há morte, nem trabalho, as mulheres não envelhecem e os pais podem dar as filhas a quem bem entenderem. Ou seja, na terra-sem-mal também não há incesto.

Isso é que os jesuítas não conseguiam compreender, porque também estavam arraigados às suas próprias superstições: no mito cristão, a condição humana e mortal surge com a eclosão da sexualidade (e consequentemente do pudor), antes oculta no fruto proibido. No pensamento tupi, ocorre quase o inverso: humanidade e mortalidade existem num mundo imperfeito, que reprime a liberdade sexual com a noção de incesto.

Assim, originalmente, num longínquo dia de uma era ainda mais distante, um pequeno grupo familiar, que se casava entre si, foi atacado por estranhos que ocupavam o lado oposto da fronteira, e cujo objetivo era roubar mulheres. Nessa luta, morreram homens pela primeira vez. E os agredidos se vingaram, também matando, também roubando irmãs alheias.

E foi essa a primeira história do mundo, quando cunhados e inimigos apareceram sobre a terra.

As principais fontes para a história do Rio de Janeiro quinhentista são, naturalmente, as francesas. Não me refiro apenas à literatura produzida durante a ocupação: cartas de Villegagnon e de Barré, livros de Léry e de Thevet. Há ainda muitos relatos de piratas, que atuaram em vários pontos da costa brasileira e particularmente na baía de Guanabara.

O Rio de Janeiro só entra propriamente na historiografia lusíada — por testemunho português e em língua portuguesa — em 1531, no diário de Pero Lopes de Sousa. Em francês, temos já em 1505 a *Relação autêntica* da viagem do pirata Paulmier de Gonneville, que — voltando de Santa Catarina, onde ficara um semestre — parece ter entrado na Guanabara, como se pode depreender do excerto: *passado o trópico de Capricórnio, altura tomada, nos achamos mais longe da África que do país das Índias Ocidentais, onde de alguns anos a essa parte os de Dieppe e os de Saint-Malo, além de outros normandos e bretões, vêm buscar madeira de tinta vermelha, algodão, macacos, papagaios e outras mercadorias...*

Como se sabe, o Rio de Janeiro está quase sob a linha tropical — daí alguns especialistas o identificarem com o sítio indicado na *Relação*. A descrição dos nativos (os tembetás, a tonsura, a animosidade *et coetera*) corresponde precisamente à dos tupis daquela zona.

O relato que interessa ao nosso caso se situa entre 1544 e 1547, quando chega ao Rio de Janeiro uma nau tipicamente portuguesa: duas cobertas, dois castelos e um convés de três mastros — o traquete e o grande com velas redondas; e o da mezena, com latinas.

O capitão, todavia, era um normando. Tinha abordado e capturado aquela nau no mar, pondo a pique o próprio navio (provavelmente por já estar com irreparáveis avarias), antes de executar, completamente, impiedosamente, a tripulação portuguesa. Entre os assassinos, vinha um cartógrafo: Thomas du Lais, que tudo indica ser o nosso Tomé Bretão.

Além das peças destinadas ao escambo com nativos, os piratas encontraram, sob a última coberta, uma sinistra carga: vinte meninas, vinte mocinhas entre 13 e 17 anos, nascidas em diversas cidades da Europa. Não é preciso informar que foram todas poupadas.

A nau portuguesa, portanto (é o que facilmente se deduz), fazia parte da sombria rota do tráfico de mulheres para o império otomano, que vitimou milhares delas nos séculos 15 e 16. São fatos bem documentados, embora tenham chamado pouca atenção dos historiadores.

As vítimas eram, em geral, órfãs vendidas por parentes, mães solteiras expulsas de casa, moças pobres iludidas por rufiães ou jovens noviças desviadas dos conventos. Naquele mundo rude, e muito antigo, difícil apontar quem tenha sido mais selvagem.

No Rio de Janeiro, as moças foram levadas para um entreposto clandestino, que os franceses tinham no meio da floresta, num lugar improvável, no fundo da baía, uma baixada na região do rio Sarapuí.

Havia, naturalmente, mais piratas que meninas. E a distribuição foi feita segundo a ordem hierárquica, a categoria social de cada um deles — como é da lógica dos civilizados. Às pessoas de menos qualidade, aos indivíduos subalternos, restavam as indígenas.

Peço tempo para uma breve digressão: as tupis, como as tapuias, nunca deixaram de interessar sexualmente aos europeus. Foram descritas nas crônicas até de um modo muito lisonjeiro, no que concerne à beleza, à saúde, à higiene. É no aspecto moral que foram detratadas, aviltadas, desde a carta de Caminha.

Ora, aquelas cristãzinhas, por terem hipoteticamente mais pudor, por estarem ali na condição de escravas, completamente à mercê dos seus novos senhores, passaram a ser mais atraentes, passaram a valer mais, como mulheres — porque toda ilicitude atrai.

Parece que o capitão teria exagerado, movido por impulsos excessivos, reservando muitas para si.

Foi o primeiro a morrer. A história toma, então, caminhos surpreendentes. Thomas du Lais, ou Tomé Bretão, assume o comando do entreposto. E decide, consensualmente, repartir as moças: em média, uma para cada quatro.

Sobrevém, todavia, um imprevisto: um grupo de vicentinos surpreende os piratas. Há um conflito sangrento, em que entram espadas, tiros de arcabuz, flechas incendiárias. Thomas du Lais, então, lembrando um velho estratagema tupi, e aproveitando um fortíssimo terral, ateia fogo no seu estoque de pimenta. Uma fumaça ulcerante, que segue a direção do vento, põe em fuga os vicentinos.

Morreram, todavia, quase metade dos franceses. A partilha das moças teve de ser, assim, refeita; e a razão passou a ser de uma para cada dois piratas.

Tomé Bretão não conseguiu explicar. E há imensas lacunas na documentação. Mas parece que as mulheres foram sendo assassinadas, sucessiva e misteriosamente — até que se restabeleceu a média de uma para cada quatro.

Alguns suspeitos foram, então, enforcados. Mas nova matança aconteceu. Sobraram apenas quatro ou cinco moças. E a razão sinistra se restabelecia: uma para cada quatro ou cinco.

Não tenho, infelizmente, o fim da história; e não quero contaminá-la com soluções ficcionais. Sabemos apenas que, mais tarde, Tomé Bretão descobriu que elas mesmas estavam se matando, que havia uma obscura disputa entre elas; que talvez as próprias moças puras e inocentes preferissem a proporção de uma para cada quatro, ou até cinco.

Tomé Bretão reaparece, historicamente, no período da França Antártica. O texto é sucinto, uma breve referência aos franceses cujo comportamento ou opiniões agrediam a sensibilidade calvinista de Villegagnon. O antigo pirata era acusado de intelectual e blasfemo — pois tentara provar que os indígenas já tinham, há séculos, conhecimento de que a Terra era redonda.

É possível que Tomé Bretão, cartógrafo, com uma década na terra, tendo convivido estreitamente com os tupis, tenha escutado o mito da origem da noite, que encerra, de fato, uma demonstração interessante.

Contavam eles que, no princípio, não havia noite. O sol brilhava muito, era sempre meio-dia, o calor incomodava, tornava as pessoas preguiçosas, e os homens não podiam se deitar com as mulheres. Certo dia, um papagaio avisa a um dos caçadores que, no extremo do mundo, na direção do grande mar, vivia uma velha que era dona da noite.

O caçador corre naquela direção. Chegando lá, não encontra ninguém. Na aldeia, havia apenas vários potes de barro, cujas tampas não consegue erguer. Ele chama pela velha, grita, insulta e se aborrece — dando uma pancada de borduna num dos potes.

Então, a noite sai de entre os cacos e se espalha pelo céu. O caçador volta, correndo, mas a noite é mais rápida.

Quando ele alcança a própria taba, que ficava no centro do mundo, a noite já tinha passado; e era dia de novo.

Fica, então, muito infeliz. Outro dia, porém, um curiango avisa ao mesmo caçador que a velha, a dona da noite, morava era no outro lado do mundo, na direção das altas montanhas. O caçador segue essa nova indicação. Chegando lá, na aldeia da velha, vê potes de barro muito maiores. Dessa vez, não tenta erguer a tampa, não grita, não insulta: com uma pancada ainda mais forte, quebra um dos potes — que libera uma noite ainda maior que a primeira.

O caçador, então, pede auxílio ao beija-flor, que o conduz ainda mais rápido de volta à taba. E a noite, maior e mais pesada, chega pouco depois dele. Desde então, existe noite. E os homens deitam com as mulheres.

Apesar da linguagem figurada, é fácil compreender o raciocínio tupi contido nesse mito. Quando o caçador está no levante, e retorna ao centro (supondo que sua velocidade seja igual à da rotação da Terra), ele chega à aldeia quando ainda é dia — fato que, na linguagem mítica, é explicado pela circunstância de ser o pote menor, a noite mais leve e consequentemente mais rápida. Mais rápida, na verdade, é a velocidade relativa do caçador — porque a Terra gira em sentido contrário ao seu.

No segundo momento, quando ele está no ocidente, sua velocidade é maior que a da rotação da terra (porque pediu ajuda ao beija-flor). Como agora a terra gira no mesmo sentido, ele chega primeiro — chega um pouco antes (o beija-flor é um pássaro pequeno) para logo ser alcançado pela noite.

Era cartógrafo, Tomé Bretão; conhecia muito bem esses assuntos.

Os fundamentos da denúncia contra Tomé Bretão foram tão somente sua impossibilidade de apresentar um álibi para a hora do crime; e a história de que andou no mato com uma mulher branca — fato que nunca se provou, ao menos na época do sumiço de Jerônima Rodrigues.

Suspeito que o caso do francês seja idêntico ao acontecido com dom Rodrigo de Vedras: os dois réus nunca conseguiram se livrar das culpas do passado. Para as pessoas que os acusaram, e mesmo para os juízes, prevaleceu a teoria mítica — segundo a qual o tempo, na verdade, não passa; não existe, propriamente, história.

Assim, Tomé Bretão não é sequestrador por ter sequestrado vinte moças: sequestrou as vinte moças porque sempre foi, seria sempre, um sequestrador.

Não deixa de ser, tal raciocínio, uma forma peculiar de punição e de justiça.

§4º
A maldição de Melquior Ximenes

Uma das lendas mais famosas do Rio de Janeiro é a do engenho mal-assombrado da Tijuca. Diziam que, na fazenda velha dos padres, quando batia meia-noite, quem estivesse acordado poderia ouvir — sem ver — todo o engenho entrar em atividade: a moenda girando, escravos pondo mel nos tachos, zumbidos de chicotes, gritos do capataz. Só quando cantava o galo se percebia um grande farfalhar nos canaviais e na rama das figueiras; e o engenho serenava outra vez.

Embora seja esta uma versão seiscentista, relatos sobre assombrações nas terras dos jesuítas existiam desde a época da fundação da cidade; e eram muito similares: contavam, por exemplo, os primitivos rendeiros da Companhia de Jesus, que ninguém podia andar à noite pelo interior da sesmaria sem topar com algum espectro, alguma alma penada, que vinha comer nos velhos túmulos indígenas. Atribuíam o fenômeno à ação de um judeu herege, que morava entre eles, e oferecia o alimento.

O judeu do caso tinha nome: Melquior Ximenes, um dos suspeitos do assassinato de Francisco da Costa. É curioso ler, nos autos, acusações de homicídio baseadas em evidências como essas: que Ximenes não trabalhava aos sábados; que tinha um tesouro enterrado; que ele — e seus quase dez bastardos mamelucos — não criavam nem comiam porcos; e nem mesmo matavam porcos-do-mato (também ditos tajaçus ou queixadas) quando se metiam pelas brenhas, para caçar.

Sobre a personagem real, há vários dados. Chegara a São Vicente em 1535 — condenado, em Portugal, no título 82 do livro quinto das ordenações: promover a fuga de judeus, com seus bens, para o império do Grão-Turco. A pena foi relativamente branda, para os padrões do tempo: confisco de toda a fazenda e degredo para sempre, no Brasil.

Participou da conquista do Rio de Janeiro; e se fixou na cidade velha, doando aos jesuítas todos os haveres adquiridos na colônia, na esperança de ingressar na Companhia. Em 1567, esse desejo ainda não fora atendido; e ele vivia como simples rendeiro, na sesmaria dos padres, que abarca hoje grande parte da zona norte da cidade.

Melquior Ximenes, cristão-novo, degredado, é certamente um arquétipo daqueles primeiros vicentinos, dos primitivos paulistas, ou bandeirantes — homens que mais longe foram, na aventura brasileira. Não falo, naturalmente, dessas distâncias que se medem em léguas: mas das existenciais, das que separam humanidades, que chegam muitas vezes a parecer intransponíveis.

Posso, assim, imaginá-lo, quase sem mentir: foi aventureiro, explorou sertões, vagou atrás das minas de ouro e prata, escravizou indígenas, fez fazenda como contrabandista de madeira e de pimenta, que vendia a peruleiros e piratas.

Viveu anos a fio, sem confissão, sem comunhão, em contato estreito com os selvagens. Como outros homens do sul, só usava a língua geral; e assimilou costumes nativos: dormia em redes, depilava o corpo, amava mais de uma mulher. Matou inimigos em terreiro, para tomar nomes de guerra. E talvez tenha provado da iguaria humana.

Perdeu, nesses trinta anos, o sentido material da riqueza. Foi quando deu o que tinha para entrar na Companhia de Jesus.

Poetas de Portugal enalteceram muito os navegantes, os barões assinalados que cruzaram mares e descobriram mundos. Melquior Ximenes deve ter percebido, como outros bandeirantes, que o verdadeiro heroísmo não era apenas navegar — mas permanecer.

Importante documento sobre Melquior Ximenes é uma carta do padre Aires Azedo, a única, na verdade, que conseguiu escrever antes de ser comido pelos tamoios do Rio de Janeiro, em 1557.

Pouco antes dessa tragédia, o padre Aires tinha sido enviado a uma taba dos tupiniquins da região de Bertioga, com duas missões: impedir que dois tamoios e um francês fossem devorados; e trazer de volta às vilas alguns portugueses e mamelucos que estavam vivendo entre os indígenas.

Na aldeia, ficou enojado, o padre Aires, com o aspecto dos cristãos, metidos no meio dos selvagens, bêbados também, como se participassem da festa. Um deles, assim que o viu entrar, foi ao seu encontro para dizer alguma coisa, mas tropeçou nas próprias pernas, provocando uma hilaridade generalizada. É quando Melquior Ximenes intervém.

Segundo o padre Aires, o cristão-novo não apenas tentou desviar sua atenção daquele iníquo espetáculo como o aconselhou a ir embora, alegando que não conseguiria, o jesuíta, demover os tupiniquins do propósito de comer carne humana; que conhecia bem o ânimo sanguinário daquela gente; que se ele, padre Aires, insistisse demais mesmo apenas em batizar as vítimas do sacrifício, contra a vontade dos nativos, arriscaria a própria pele — e a dos outros brancos.

Essa peroração, claro, não foi bem recebida. E o padre Aires, levando o Ximenes como língua, foi advertir o índio principal, o tuxaua Ubebuia, Flecha Ligeira. É descrito, esse índio, como se fosse um monstro: o corpo cheio de cicatrizes e o rosto deformado por várias pedras que lhe perfuravam as bochechas e os lábios. A negociação, contudo, fracassou. Nem mesmo o francês Flecha Ligeira aceitava libertar. E ficou subitamente furioso, ameaçador, agressivo, quando o jesuíta mencionou que pretendia batizar os tamoios: segundo Ubebuia, a água dos abarés estragava o sabor da carne e dava azar a quem a comesse.

Flecha Ligeira permitiu, contudo, que o padre fosse ao menos consolar os prisioneiros. Os índios estavam presos pelo pescoço, numa muçurana, a corda grossa de algodão com que se amarram as vítimas; e tinham o rosto pintado e salpicado com pedaços de casca de ovos verdes, o corpo tingido de negro e coberto de penas vermelhas, mesma cor da tinta que lhe passaram nos pés. Eram (pareceu ao padre) figurações perfeitas do demônio. E quando um deles, pressentindo a aproximação do sacerdote, levantou o rosto e o encarou, com os olhos cheios de uma luz maligna, o padre Aires conheceu, pela primeira vez, o que era medo.

E nem chegou a falar, o jesuíta: o tamoio lhe cortou a palavra e começou a ofendê-lo (segundo a tradução do Ximenes), afirmando que um abaré como ele andara batizando os seus parentes, e que quase todos morreram, pouco depois, de morte natural. Disse ainda que era muito nojento morrer assim, na própria rede; que a alma, nesses casos, ficava eternamente escrava dos demônios.

Na carta, o padre Aires atribui tal reação à influência maléfica e dolosa daquele cristão-novo, que pretendia impedir a doutrinação cristã entre os selvagens, para tirar algum proveito disso. Duvida até da sua idoneidade como intérprete, insinua mesmo que o Ximenes havia adulterado o teor dos discursos de Ubebuia e daquele prisioneiro.

No dia seguinte, o padre Aires ainda assistiu ao exuberante espetáculo do sacrifício, impressionado especialmente com a coragem, a altivez do tamoio, que dirigia insultos intermináveis aos inimigos. Não imaginava que, num futuro próximo, participaria daquele mesmo drama na condição de vítima.

E o jesuíta descreve tudo, todos os pormenores, numa sarcástica antevisão do seu próprio fim, até a cena capital: quando os matadores, majestosamente ornamentados com diademas, colares, braceletes, tornozeleiras, cinturões e mantos de penas de todas as cores, empunham as clavas, recebidas das mãos de Flecha Ligeira, e desferem, depois de várias negaças, um golpe certeiro na nuca dos tamoios — que caem mortos, enfim, para a vida eterna.

Estes, pelo menos, conheciam o seu destino.

Cerca de um mês antes do assassinato de Francisco da Costa, Manuela Araribóia, índia cristã, casada na cidade com Martim Carrasco, cavaleiro fidalgo da casa de el-rei, tendo procurado em vão por Ana Sánchez, mameluca, natural de São Vicente, criada sua e ama-seca de seu filho, saiu de casa, na propriedade de Pacobaíba, e foi até os fundos do terreiro saber por que razões se demorava tanto para dar um balde de lavagem aos porcos.

Os estábulos, as pocilgas, os redis, os galinheiros ficavam numa área muito próxima da mata virgem, que o Carrasco ainda não mandara derrubar. Quando se aproximou da pocilga, antes de chamar pela criada, percebeu alguma coisa, ruídos que denunciavam a presença de pessoas nas margens do rio, que corria perto.

Manuela se aproximou furtivamente e surpreendeu a mameluca de cócoras, com a camisa arregaçada, falando com um intruso, com um homem que chegara sem ser convidado: Melquior Ximenes.

O cristão-novo tentava convencer Ana Sánchez a cometer um crime: ser sua intermediária na execução de um bruxedo cujo fim era a sedução de uma mulher casada. A mameluca deveria fazer a vítima ingerir um pó, uma farinha especialmente preparada com a língua de um tejuaçu.

Como se sabe, os indígenas atribuíam a tais lagartos o dom de encantar mulheres para copular com elas. Manuela

Araribóia, naturalmente, conhecia essas histórias; não se interessava mais por elas, porque era cristã. Mas ficou escutando a conversa até que mencionassem o nome da mulher: Jerônima Rodrigues.

Ana Sánchez, intimada a depor, admitiu tudo, acrescentando que Melquior Ximenes havia também encomendado a certo Piracangüera, caraíba perigoso, muito temido pelos outros índios, um feitiço contra Francisco da Costa — coisa que poderia até matar o serralheiro, se esse Piracangüera, o Espinha de Peixe, introduzisse nele um dos seus espíritos maléficos.

Outros rendeiros dos jesuítas, e os próprios filhos do Ximenes, disseram que o cristão-novo deixara a sesmaria no fim da tarde de sexta, a pé, na direção das matas da Tijuca, onde fora caçar; e de onde voltara só três dias depois.

O réu, portanto, não tinha álibi — embora nenhuma testemunha tenha se referido a uma ameaça física, concreta, à vida de Francisco da Costa. Mas essas foram, essencialmente, as bases da denúncia.

Em 1591, o visitador do Santo Ofício no Brasil condenou e excomungou em efígie certo Belquior (ou Melquior), cristão-novo, degredado, morador no Rio de Janeiro, então próximo dos noventa anos. Não temos todo o processo, mas tudo indica que o réu morreu antes de ser preso e remetido à Bahia.

O caso, no entanto, era gravíssimo: além de todos os antecedentes conhecidos, Melquior Ximenes era acusado de ter, na prática, se convertido num caraíba — termo que designa o grau máximo atingido por um pajé, que se torna tão poderoso e perigoso a ponto de não poder mais viver em sociedade, tendo de se isolar nas matas, apenas com sua própria família.

Esses caraíbas (as fontes sobre isso são unânimes) foram o maior obstáculo enfrentado pelos jesuítas na conversão do gentio. Ainda que não sacrificassem inimigos, nem comessem carne humana (que lhes era proibida), representavam para os padres o tipo mais abominável de feiticeiro, pois, além de controlarem grande número de espíritos de animais, podiam também incorporá-los, num processo muito similar à da possessão demoníaca — com a diferença de ser um ato consciente e voluntário. Estavam, assim, os caraíbas, num nível superior ao dos próprios diabos, porque eram seus mestres.

Não sei dizer o que houve, de verdade, com o degredado. Os documentos posteriores à época do crime dizem pouco e são contraditórios: em 1575, o governador Salema o engaja numa entrada que partia do Rio de Janeiro, para servir de língua; quatro anos depois, um jesuíta se refere a ele como tendo superado o próprio Anchieta no domínio do tupi; já no pedaço do processo inquisitorial que é possível consultar, consta a nomeação à revelia de um procurador para defendê-lo, posto que o réu, apesar de *entender mal os portugueses, só consegue falar na língua da terra*.

Com esses fragmentos, podemos imaginar qual terá sido o fim de Melquior Ximenes: velho, pobre, já sem nenhuma esperança de ingressar na Companhia, abandona a sesmaria dos jesuítas, pela pressão dos rendeiros, e se isola cada vez mais no mato. Apesar de todo o seu esforço para se tornar cristão, acaba como índio; pende, enfim, para um dos extremos.

Tal decisão, no entanto, é fatal: todas aquelas sensações inéditas que experimentou nas três primeiras décadas do exílio afloram novamente. E Melquior Ximenes tanto se enraíza no mundo novo que da própria língua lembra apenas uma ou outra palavra. Em contrapartida, deve ter chegado a compreender tão perfeitamente o tupi que acabou perdendo — que alcançou perder — o dom vulgar de traduzi-lo.

§5º
A soberba de Martim Carrasco

Apesar de ser fidalgo cavaleiro, informações sobre Martim Carrasco são escassas. Sabemos que (quinze dias depois do casamento de Francisco da Costa com Jerônima Rodrigues) contraiu matrimônio com Manuela, a temi-minó cristã que era neta ou bisneta do tuxaua Araribóia, principal dos principais entre os índios do Rio de Janeiro, o primeiro americano a envergar o hábito de Cristo.

Manuela Araribóia era, assim, uma espécie de princesa. E me parece que tal união, arranjada tão às pressas, serviu apenas como desagravo à honra, à fidalguia do cavaleiro Martim — que acabava de perder Jerônima para o serralheiro.

Outro fato de que temos documentação é mais ou menos de 1577. Consta que o Carrasco instalou, em Pacobaíba, um alambique. Era, então, uma indústria clandestina. Talvez por ser fidalgo, e pessoa francamente intratável, foi denunciado. O governador, num caso desses, não seria tolerante.

Pacobaíba teria entrado para a história como o primeiro engenho a fabricar uma aguardente destilada a partir da escuma (ou cachaça) do caldo fervido da cana. E o Rio de Janeiro conquistaria, indiscutivelmente, o mérito da invenção da bebida — se Martim Carrasco, furioso com a denúncia, não houvesse destruído as provas, não houvesse posto fogo no seu próprio alambique e incendiado a propriedade inteira.

Certa *Informação da parte do Brasil*, documento anônimo que já se atribuiu erroneamente a Anchieta, traz uma sucinta narrativa de como se deu a cisão dos tupis do Rio de Janeiro e o princípio da guerra entre tamoios e temiminós.

A história é de segunda mão: o autor da carta soube dela anos depois, por uns vicentinos que andavam então caçando escravos numa expedição comandada por Martim Carrasco. Os fatos são de 1547. Vou contá-los com alguma liberdade.

Os homens do Carrasco tinham partido de São Vicente para explorar uma velha trilha indígena que ia da Guanabara à raiz da serra, onde começava o território dos índios goitacás. Esses tapuias, segundo os cronistas, estavam divididos em três grupos, correspondentes (conforme a atual nomenclatura) aos goitacás propriamente ditos, aos puris e aos coroados — esses últimos habitantes da referida região serrana.

O objetivo da empreitada (o leitor prevê) era capturar escravos. E foi com três dúzias de coroados que os vicentinos voltaram ao Rio de Janeiro. Ali, enquanto esperavam os barcos que viriam resgatá-los, eram hóspedes de Maracajaguaçu, o Gato Selvagem, um dos maiores tuxauas de toda a Guanabara.

Como tinham sido da aldeia do Gato a maior parte dos que acompanharam o cavaleiro Martim na preação dos goitacás, metade dos cativos ficava na aldeia, para serem comidos. E uma grande festa estava sendo preparada, nessa intenção, com a presença de inúmeros parentes, convidados das tabas vizinhas.

Diversamente de outras festas antropófagas assistidas pelos portugueses, naquela havia certa tensão, certo mau humor. As visitas, particularmente, pareciam incomodadas com alguma coisa. O motivo, contudo, escapava aos cristãos, que jamais poderiam conceber a verdadeira natureza do problema.

De repente, um índio jovem, neto do tuxaua Senembi, o Camaleão, que integrara a expedição do Carrasco, se aproxima de um dos cativos (que estava preso pela muçurana), bate nele brandamente, várias vezes, com a mão espalmada, e reivindica a sua posse, alegando que fora ele, neto de Senembi, quem primeiro tocara aquele inimigo, durante a luta — circunstância que lhe garantia o direito de executá-lo.

Martim Carrasco devia saber que aquele coroado estava destinado a um dos filhos de Maracajaguaçu. Seria a vítima da iniciação do rapaz, como matador. Para demonstrar sua lealdade ao tuxaua, se intromete no conflito, empurrando, afastando ostensivamente o neto do Camaleão.

Não chega a ferir o rapaz, mas o insulta, declarando ser aquilo uma mentira: que ele, Martim, testemunhara tudo; que tinha visto o filho do Gato, e não ele, dar o primeiro toque.

Os índios, contudo, ignoram completamente a intervenção do fidalgo. Não estavam interessados no seu testemunho. Não era uma questão de direito, de justiça, de razão.

Martim Carrasco ainda não compreende. E vê formarem-se, claramente, dois partidos, enfileirados no terreiro, um diante do outro. É quando uma filha ou neta do Camaleão salta como uma fera sobre o filho do Gato e dá no braço do rapaz uma fortíssima dentada.

E, subitamente, tudo toma um ar solene: Maracajaguaçu e Senembi se destacam de suas fileiras, se aproximam e param, frente a frente, numa postura quase militar, e fazem juramentos recíprocos de vingança. Os convidados, então, deixam a festa.

Não sei se a indiferença indígena ao seu depoimento acirrou a fúria do fidalgo. O fato é que Martim Carrasco, antes que as visitas saíssem da taba, avança na direção desse grupo e toma do neto de Senembi um presente que lhe dera: uma faca de aço, que o jovem levava a tiracolo, numa tipoia de algodão. O português só se arrependeu do seu ímpeto, só percebeu o erro quando o próprio Camaleão jurou matá-lo.

O Carrasco só começou a perceber o jogo quando os índios da taba lhe garantiram que não apenas o neto de Senembi e o próprio Camaleão mas todos ali sabiam perfeitamente que fora o filho do Gato o primeiro a tocar no prisioneiro coroado.

Toda aquela cena, portanto, era apenas um pretexto. Os tupis da Guanabara tinham se expandido muito pelo entorno da baía. Ficava cada vez mais longe, e mais difícil, apanhar inimigos para matar e comer. Era necessário, assim, simplificar as coisas.

Como Senembi era mais velho, seus parentes ficaram sendo os tamoios, os avós. A gente do Gato, logicamente, eram os netos, os temiminós. Por ter Martim Carrasco ofendido um parente do Camaleão, perderam os portugueses a oportunidade de ficarem neutros. Eram, agora, inimigos irreconciliáveis dos tamoios.

No ano seguinte, na época própria, primeira lua depois da piracema, começou a interminável guerra.

Falemos mais um pouco dos itaipus, que — como já se disse — constituem a mais antiga população pré-histórica do litoral carioca. Estudos arqueológicos recentes, realizados nos sítios de Guaratiba e Marambaia, indicam que eram, os itaipus, endocanibais: em vez de sepultarem, comiam os próprios mortos. Chegavam mesmo a torrar e macerar os ossos, transformando tudo num pó que era ingerido com alguma espécie de líquido.

O Rio de Janeiro, assim, abrigou dois tipos de canibalismo, aparentemente antagônicos: o dos tupis, que comiam os inimigos (e inimigos eram, como também salientei, todos que não fossem aparentados); e o dos itaipus, que comiam os familiares.

Acredito, no entanto, que as duas práticas sejam, no fundo, idênticas: primeiro, porque os tupis (como vimos) só comiam o inimigo depois de transformá-lo em parente, em cunhado; segundo, porque a finalidade dessas formas de devoração era exatamente a mesma.

Para certas etnias brasileiras, não existe a noção de alma propriamente dita, princípio imortal que corresponde à essência da pessoa, à sua mais profunda individualidade, como concebe a mitologia cristã.

No pensamento desses índios, cada ser humano, além do corpo físico e dos nomes próprios, é composto de uma força vital denominada *anga*, que corresponde mais ou menos ao que designamos por "sombra".

Quando o corpo morre, a *anga* se desdobra em *angüera* (literalmente, "a que foi sombra"), que é a parte mais essencial da pessoa; e em *taguaíba*. A primeira, a *angüera* (que se aproxima mais ao conceito ocidental de alma), começa logo a enfrentar desafios e a empreender uma longa e difícil caminhada na estrada dos mortos, para tentar alcançar a imortalidade, na terra-sem-mal.

Já *taguaíba* é uma abominação. Numa tradução literal, é a imagem podre ou putrescente da pessoa: uma espécie de espectro, de fantasma, a própria figuração do cadáver — que apodrece com ele, cheira mal, sofre todas as terríveis dores que a decomposição provoca. E sente inveja dos vivos — e se vinga deles, matando quem com ele cruze, na mata. Todavia, quando a matéria mole se decompõe e restam só os ossos, *taguaíba* também se esvai, numa espécie de morte definitiva.

Os itaipus, como outros tapuias, evitavam a manifestação desses espectros com a prática sagrada do endocanibalismo. Para os tupis, no entanto, em virtude de sólidas barreiras morais, tão simples solução era impossível: necessitavam dos inimigos, da guerra, da vingança, para serem comidos e se libertarem de tão medonha sina — que é a de errarem naquela forma de fantasmas pútridos.

Isso explica por que tinham tanto horror à morte natural: porque teriam de purgar, como *taguaíba*, todo o processo de putrefação, além de correrem, como *angüera*, o risco da aniquilação total, no caminho dos mortos.

Os que fossem sacrificados e devorados não sofriam nada disso: primeiro, porque seu fantasma desaparecia logo, no estômago dos inimigos; segundo, porque, tendo a cabeça rachada, sua sombra ia direto para a terra-sem-mal.

Por isso, esses guerreiros rejeitavam o favor dos jesuítas, quando queriam livrá-los da cerimônia canibal. Por isso, quando os parentes eram muitos, e havia poucos inimigos, se dividiam em metades que passavam a se matar.

Os cristãos nunca entenderam essa verdade simples: que — para um tupi — matar e comer um inimigo era, antes de tudo, um ato de suprema piedade.

O primeiro testemunho contra Martim Carrasco foi dado por certo Aleixo, curtidor. Corria ainda o mês de fevereiro, depois da morte do capitão Estácio, quando o referido cidadão manteve uma conversa reservada com Francisco da Costa, à noite, na praia de Fora. O depoente confessou que aconselhava então o serralheiro a abandonar a mulher — irremediavelmente difamada, depois de ter passado dez dias desaparecida. E teria dito, nessa circunstância, uma frase impensada, da qual se arrependia: *que as mamelucas, como as índias, se davam a qualquer um.*

Ora, estavam ambos, o curtidor e a futura vítima, apoiados numas pedras da praia; de costas, portanto, para a cerca da cidade velha. Por isso, não perceberam a aproximação de uma outra pessoa, que ouviu a importuna opinião: Martim Carrasco.

O fidalgo desatou, então, a ofender e a desafiar o curtidor. Disse que ele, Martim, era casado com uma índia nobre; que as nativas, quando batizadas, se tornavam um exemplo de virtude; que não podiam ser confundidas com a raça degenerada das mestiças; que Manuela Araribóia não era uma Jerônima Rodrigues.

Segundo Aleixo, curtidor, não havia razão para o fidalgo mencionar a mulher do serralheiro, que não dizia nada. Francisco da Costa, logo, não suportou a afronta. Tomando da botija de garapa, que bebiam, lançou o líquido no rosto do Carrasco, acusando-o de ser tão insignificante como homem que Jerônima sequer cogitara experimentá-lo. O cavaleiro, então, puxou da espada.

Mas foi apenas um rompante (avaliou o depoente), pois não haveria honra no fidalgo que atacasse um simples peão sem armas. Manteve, contudo, a lâmina em riste, enquanto a raiva não passava. Foi quando Francisco da Costa, imprevidente, lançou seu próprio desafio: propôs que ambos se medissem, braço a braço.

Era injúria que um fidalgo não poderia suportar. E Aleixo, curtidor, escutou perfeitamente a ameaça de Martim Carrasco: que ainda iria matar o serralheiro, como se mata um cão.

Outro importante testemunho que contribuiu para a abertura do processo contra Martim Carrasco foi dado pela moça Úrsula, índia livre da redução temiminó de Jabebiracica. A correspondência jesuíta a menciona como exemplo de quanto a inocência dos selvagens podia ser explorada pelos maus cristãos.

A história começa quando Úrsula recusa um noivo designado pelo próprio Araribóia, alegando o impedimento de já ser casada. E não hesita em declarar o nome do marido: Martim Carrasco. Parece que ela ignorava a circunstância de ser o fidalgo também marido de sua prima Manuela. Mas o caso só provocou alvoroço por ter acontecido justamente no domingo, 15 de junho, dia do enterro de Francisco da Costa.

Úrsula declarou (diante dos tuxauas, dos padres e, depois, dos juízes) que passara com o fidalgo a noite da véspera do crime, em Pacobaíba, quando consumara o seu matrimônio; e que, no sábado, de manhã, o Carrasco se despediu dela, declarando que pretendia matar o homem que lhe roubara a primeira mulher. Aludia, naturalmente, a Francisco da Costa. E estava armado, com arco e flechas.

Não me surpreende que Martim tenha pensado em vingança: esse é um motivo clássico, quando se trata de fidalgos. Nem que tenha dito alguma bravata à indiazinha, sua amante, como dissera diante do Aleixo, curtidor. Não chega também a me espantar que Úrsula o considerasse seu marido, já que o matrimônio tupi era extremamente informal, bastando na prática que o casal fosse dormir na mesma rede.

O que não se pode aceitar sem crítica é, mais uma vez, a tradução do testemunho. Duvido que a moça Úrsula tenha empregado a palavra *sábado*, como está nos autos. Os tupis nunca aceitaram o sistema europeu de divisão do mês em semanas, que é muito imperfeito. O mais provável é que Úrsula, no domingo 15 (quando Araribóia lhe apresentou o noivo que viria a recusar), tenha usado o termo *qüecé*, que vulgarmente se traduz por "ontem", para se referir aos eventos passados. O língua do inquérito concluiu, assim, fosse sábado o dia em que Martim afirmara a intenção de matar o serralheiro.

Além de a história em si ser um tanto absurda (porque Úrsula dissera terem dormido em Pacobaíba, onde também morava a prima Manuela), as sentinelas do Castelo não viram o fidalgo passar, na direção da Carioca, na manhã de sábado.

Ora, quem estuda o tupi um pouco mais profundamente percebe que *qüecé* pode ser "ontem" ou "anteontem"; pode ser qualquer dia pretérito que o enunciante da frase sinta ainda como próximo, segundo sua própria perspectiva.

Obcecados pelo fetiche da precisão, da exatidão, da identificação dos dias, os portugueses deixaram escapar um dado sutil mas muito mais relevante: naquela altura, quando deu seu depoimento no processo, a índia Úrsula já tinha sido informada que Martim Carrasco também era marido de sua prima Manuela Araribóia.

§ 6º
A extravagância de Brás Raposo

O sexto acusado de assassinar o serralheiro Francisco da Costa foi o cristão-novo Brás Raposo, que na época do crime exercia o cargo de tesoureiro da câmara. Era casado em São Vicente, com Catarina Morena, cigana e espanhola, ambos em segundas núpcias. A mulher não lhe deu herdeiros, mas uma herança razoável do marido morto.

Foi um dos primeiros povoadores da cidade velha e recebeu por seus serviços a sesmaria da Penha de Inhaúma, onde instalou uma olaria.

Além do episódio do serralheiro, contra Brás Raposo nunca houve nada, nenhum fato que desabone sua imagem de homem próspero, de súdito exemplar. Não consta contra ele nenhuma denúncia nos tribunais religiosos, nenhum outro processo criminal, nenhuma querela com outros cidadãos. Isso não impedia, é claro, que se murmurasse contra a cigana Catarina.

Teria sido essa espanhola, então viúva, quem enfeitiçara a primeira mulher do Raposo, em São Vicente, sendo responsável por sua morte. Antes de expirar, a moribunda revelara a comadres ter visto em sonho a figura da cigana, que lhe lavava o cadáver e roubava o marido. Os dois prognósticos se confirmaram: ela falecia três dias depois; e no mês seguinte Catarina Morena ocupava o lugar que fora dela.

Causou certo escândalo, mais que a brevidade do luto, o fato de Brás Raposo haver permitido que o corpo da finada fosse preparado e vestido pela sórdida cigana.

Diria um tupi, sobre o caso da primeira mulher de Brás Raposo, que a alma, a sombra dela havia sido capturada e morta pela cigana. Esse era um risco que acometia todos os vivos — o de ser morto pela ação de um feiticeiro, um caraíba. Era pouco provável, nesses casos, que suas *angüera* conseguissem atingir a terra-sem-mal, conseguissem escapar à aniquilação definitiva.

Embora a feitiçaria não fosse assim tão rara, a captura da sombra ou alma dos vivos era obra mais frequente dos espíritos maléficos chamados *anhanga*. Esse termo é nada mais que a reduplicação regular da raiz *anga*, para indicar pluralidade e dispersão. *Anhanga* são, assim, sombras múltiplas e difusas; numa tradução bem razoável, equivalem aos fantasmas ocidentais.

Não se confundem, todavia, com entidades também malignas que habitam planos inferiores do universo, como os *ypupiara*, os inimigos do fundo. *Anhanga* são espíritos da mata — que é, por natureza, um território inimigo. Estão entre eles os temíveis e conhecidos Curupira, Jurupari e Caruara; seres fantasmagóricos com aspecto humano, como os *taúba*, canibais; espíritos zoomorfos, como as *guajupiá*, aves mensageiras dos mortos; e as repulsivas *taguaíba*, as imagens dos corpos em putrefação.

Quando a sombra da pessoa morta se transforma em *angüera*, único fragmento do ser que pode se tornar imortal, seus inimigos mais imediatos, mais elementares passam a ser precisamente a legião de *anhanga*. Por isso, são enterrados com suas armas e outros objetos de que possam necessitar. Os parentes põem ainda água e alimento ao lado da sepultura — além de fogo, único elemento que afasta *anhanga*. Se há uma providência que a *angüera* deve tomar, inapelavelmente, é não deixar que esse fogo se extinga.

Ainda assim, há o risco. No pensamento tupi, nunca há muitas certezas.

Brás Raposo é ainda personagem de um dos relatos constantes da famosa *Crônica dos sete capitães*, o mais antigo documento sobre a história de Campos dos Goytacazes.

Os goitacás propriamente ditos (distintos dos seus parentes coroados e puris) foram os tapuias mais insubmissos de toda a costa brasileira. Nunca admitiram a hipótese de um contato pacífico com os portugueses. Não admitiam essa hipótese, aliás, em relação a nenhum outro grupo indígena. Não surpreende, portanto, que nem mesmo uma única palavra do seu incógnito idioma tenha sido registrada.

Eram, conforme todos os relatos, gentios crudelíssimos, bárbaros e primitivos, que não erguiam casas, não faziam roças, dormiam pelo chão e comiam carne humana — não por vingança, mas para o próprio sustento. Nunca enfrentavam o inimigo em campo aberto, só atacando à traição, em tocaias bem pensadas, quase sempre pelas costas. Excelentes corredores, venciam facilmente um veado na corrida. E caçavam geralmente à unha — mesmo jacarés, mesmo tubarões.

Está na *Crônica* que Brás Raposo e outros moradores do Rio de Janeiro formaram uma expedição atrás de minas, tentando subir o rio Paraíba a partir da foz. Estavam já acampados nas proximidades desse rio quando pressentiram a presença de indígenas hostis. Eram, naturalmente, goitacás.

O comandante, para demonstrar propósito amistoso, mandou dispor, numa clareira, bens que poderiam interessar aqueles bárbaros: cestos, redes, potes, fumo, farinha. Seguindo a recomendação dos temiminós que os acompanhavam, recuaram logo, muitos passos, do ponto onde haviam deixado as mercadorias. Não desconfiaram, os portugueses, não poderiam ter concebido que não era aquilo, exatamente, uma praça de comércio.

Os goitacás, então, apareceram, no outro lado da clareira. Tinham os cabelos compridos como crinas de cavalos; dentes brancos e afiados, como pontas de flechas; corpos nus, mas pintados de preto, da cabeça aos pés, onde sobressaía particularmente o rosto, enquadrando olhos rubros e brilhantes, como labaredas. E vinham todos muito bem armados — homens, mulheres, crianças — rosnando, cheios de ódio, numa língua cava, toda gutural.

Depois de avaliarem os produtos em que pareceram ter tido interesse, começaram a deixar, como moeda de troca, muita caça fresca e vários tipos de plumagem, entre as quais sobressaíam as penas brancas de nhandu, de grande valor para os temiminós, já que a ave não habita a floresta litorânea.

Brás Raposo, então, percebe que alguns dos goitacás têm pedras verdes e que põem algumas ao lado das penas brancas. Julga, como muitos antes dele julgaram, como outros ainda julgariam, que podiam se tratar de esmeraldas. Manda, então, um dos seus criados (mameluco jovem, sem experiência no sertão) levar até os índios alguns machados e facas de ferro, para estimulá-los a colocar o máximo daquelas pedras.

Não houve tempo para que os temiminós o advertissem: o mameluco se levantou com pressa, para cumprir a ordem — quando foi varado, em segundos, por dezenas de flechas.

Brás Raposo ainda iria saber — depois de fugir com o resto da expedição — que o comércio, entre os goitacás, é apenas um aspecto da guerra, também regido por essa categoria metafísica fundamental, causa última de todos os fenômenos da natureza e da cultura: a vingança.

Como está no texto da *Crônica*, os goitacás entendem o comércio, o escambo, como um furto recíproco: tiravam dos temiminós um cesto de palha ou um pote de barro para se vingar de lhes terem roubado um feixe de penas ou um punhado de pedras.

Para não se matarem, mantinham, nessa ofensa mútua, uma distância mínima, regulamentar. Acharam que seriam mortos, quando viram o mameluco se erguer e se aproximar, com armas na mão.

Brás Raposo, oleiro, cristão-novo, proprietário da fazenda da Penha de Inhaúma, acusado de assassinar o serralheiro Francisco da Costa, era reconhecidamente um amigo da vítima. Consta que emprestou dinheiro a Francisco, diversas vezes, sem cobrar juros, para cobrir até algumas dívidas de jogo. E teria dado as telhas que cobriam a casa do serralheiro no Castelo.

Dos dez possíveis homicidas, é o único que não tem uma história pregressa, um indício qualquer que revelasse desejo, interesse em Jerônima Rodrigues. Não houve um único depoimento que relatasse conflitos entre o cristão-novo e o morto, por causa da mameluca. Creio já ter dito que essas circunstâncias nunca foram conhecidas antes do crime.

Brás Raposo, contudo, acabou implicado no caso por conta de palavras que disse ou de atitudes que tomou, depois da morte de Francisco da Costa. O oleiro (que talvez falasse demais) teria oferecido à viúva quatro vezes o valor da casa — no mesmo passo que a convidava a morar, de graça, na Penha de Inhaúma.

Não tenho muita certeza se li bem nas entrelinhas, mas me pareceu que Catarina Morena, a cigana espanhola, compartilhava dos mesmos arranjos.

Além dos muitos problemas de tradução dos depoimentos dados na língua geral, a devassa que apurou o assassinato de Francisco da Costa admitiu também uma testemunha muda.

Na semana seguinte ao crime, Vasco Espinha, meirinho, foi abordado na rua travessa por Maria Tapuia, do gentio goitacá, que era escrava de Filipa Mendes. Os gestos firmes, as expressões veementes da índia deram ao meirinho a certeza de que se tratava de alguma espécie de denúncia. Como se sabe, os regimentos autorizavam o oficial a proceder a investigações por conta própria, nos casos de delitos flagrantes. E Vasco Espinha se deixou conduzir pela Tapuia, que o levava à casa do oleiro Brás Raposo, na rua de trás, antes do cotovelo.

Disse que era muda, a escrava de Filipa Mendes. Na verdade, apesar de compreender perfeitamente o tupi (como se deduz dos autos, pois foi capaz de elucidar, com gestos, as dúvidas do meirinho), Maria Tapuia se recusava a falar outra língua que não fosse a sua; língua essa de que até hoje não se conhece uma única palavra.

Sem qualquer objeção de Catarina Morena (o marido estava, então, na olaria), Vasco Espinha entrou na casa do Raposo, seguindo as indicações da Tapuia. E encontrou, no cômodo que servia de quarto, dois sacos: no primeiro, engrenagens, chaves, fechaduras, limas, alicates e outras ferramentas de serralheria; no outro: uma camisa, os calções, a cinta, as meias, a braguilha de sarja, a capa de capelo, o gibão e até os borzeguins de couro com seus atacadores — que eram, como depois se constatou, peças pertencentes a Francisco da Costa.

Na noite de sábado, Maria Tapuia esteve na casa do morto para manifestar, silenciosamente, os seus profundos pêsames. E viu, testemunhou o mórbido negócio que Brás Raposo propusera a Jerônima.

Foi o próprio acusado quem contou a história, confessando ter se oferecido para comprar as ferramentas, as roupas, todos os bens que houvessem pertencido ao finado, com o propósito de auxiliar pecuniariamente a viúva. Catarina Morena, que lavara e vestira o cadáver, confirmou que o serralheiro estava só em camisa e de ceroulas, dentro da mortalha.

Brás Raposo, como outros donos de terras, não estava na cidade quando foi achado o corpo de Francisco da Costa. Segundo as sentinelas do forte, descera a ladeira cedo, embarcando numa igara — como fazia sempre, diariamente, para ir à olaria. Não puderam garantir se, precisamente naquele sábado, 14 de junho, tomara a mesma direção.

Logo, o tesoureiro poderia ter ido à Carioca para cometer o crime. Sua generosidade foi considerada, pelos juízes, como evidência de um desejo velado na mulher da vítima, ratificado pelas ofertas de compra da casa do Castelo e de hospedagem na Penha de Inhaúma.

Ao que parece, não se deu tanta importância àquele mórbido interesse nas roupas do morto; nem mesmo nas ferramentas de serralheria, inúteis para o réu. Nada se cogitou sobre gazuas, que poderiam abrir as portas da Casa de Pedra. E não se estranhou que a bolsa de Francisco da Costa (objeto que a viúva dissera ter sumido) não estivesse entre as peças adquiridas pelo oleiro.

§7º
A avidez de Gonçalo Preto

Nos documentos da visitação do Santo Ofício, em 1591, certo Gonçalo Preto, *que foi morador no Rio de Janeiro*, saiu absolvido das acusações de invocar demônios e se comunicar com os mortos. É, esse Preto, certamente o mesmo réu acusado no processo de Francisco da Costa.

A identidade entre as duas personagens pode ser estabelecida não apenas pela homonímia, mas pelos fundamentos de ambas as denúncias. Na da Inquisição, sem mencionarem a circunstância de se tratar de um boticário, afirmam que ingeria grandes quantidades de fumo e bebia poções ensinadas pelos índios para ter visões e manter comércio com entidades diabólicas.

O Gonçalo Preto de 1567, cirurgião e boticário, teria seduzido Jerônima Rodrigues depois de ministrar a ela certo tipo de infusão alucinógena; ou sexualmente excitante.

Além da ocupação, sabemos que residiu na cidade velha do Rio de Janeiro. Se o leitor se lembra, foi Gonçalo Preto quem opinou conclusivamente sobre a hora do óbito de Francisco da Costa.

Os genealogistas que estudaram o sobrenome Preto (encontrado em Portugal desde o século 14) afirmam ter sido, em sua origem, uma simples alcunha. Embora possa não corresponder a todas as ocorrências, era provavelmente atribuído a moçárabes; ou mesmo a pessoas de origem moura, muçulmanos do norte da África, que permaneceram no país depois da anexação do Algarve, em 1249. A união com famílias portuguesas obscureceu, muitas vezes, essa origem.

Lendas sobre mouros, todavia, atravessaram séculos na memória popular. E é possível que as do Rio de Janeiro tenham fundamento na personagem histórica de Gonçalo Preto.

Era temido, o feiticeiro mouro, porque bastava soprar um pouco de fumaça contra o rosto de uma pessoa para fazê-la ver imagens. Seduzia mulheres com tal bruxedo, já que, bafejadas desse modo, enxergavam nele a figura dos maridos. Com seus filtros e poções, podia até matar.

Interessante, para os que estudam a evolução das tradições orais, é a aclimatação da personagem clássica do feiticeiro mouro no ambiente tropical e selvagem do Rio de Janeiro: o mouro carioca empregava, fundamentalmente, o tabaco, planta nativa das Américas e, portanto, desconhecida no velho mundo, antes dos descobrimentos.

Diziam também que o referido mouro tinha um livro, escrito numa língua desconhecida — livro esse que condensava o conhecimento e a história universais. Outras versões mencionam, em vez desse livro único, uma pele de onça, que o mouro tinha pendurada na parede de casa. Quando se embriagava de fumo, os desenhos se embaralhavam, formavam as letras da escrita mourisca; e eram nelas que ele lia o que quisesse aprender.

A associação entre onça e conhecimento é típica no pensamento indígena. Os itaipus, por exemplo, diziam que, no princípio, os homens só comiam carniça. Foi a onça quem os ensinou a caçar com arco e flecha. Recebeu, por isso, como símbolo de aliança, uma mulher humana. A moça foi, infelizmente, infiel. E a onça, tendo descoberto a traição, tendo constatado a vileza da condição humana, preferiu fugir e viver no mato, rejeitando o próprio invento, passando a caçar com as unhas, com os dentes — armas com que se vinga dos humanos, até hoje.

O mito dos ibirajaras não é muito diferente: certo homem, quase morto de sede, exilado no alto de um rochedo, é salvo pela onça, que lhe dá de beber e atravessa o rio com ele nas costas. Quando chegam na aldeia da onça, o homem come, pela primeira vez, carne moqueada, pois a onça tinha o segredo do fogo. A mulher da onça, contudo, num dia em que o marido fora à caça, tenta seduzir o homem. Ele, apavorado com as enormes garras da mulher, recusa os afagos. Qualquer mulher, seja humana, seja um bicho, não suportaria tal humilhação. E ela, a mulher da onça, ataca o homem, com vontade de matar. Ele, contudo, consegue atirá-la na fogueira; e foge, carregando as achas que sobraram. A onça chega quase no mesmo momento: vê o homem correndo, roubando o fogo que era dela. Daquele fogo, ficou apenas com o reflexo nos olhos.

Para os coatiaras, foi a onça quem criou os homens. Deu, a cada raça, um saber, o segredo de fazer alguma coisa: o arco e a flecha para um; o fogo, para outro; a rede; a canoa; a cerâmica; a pintura; as plantas cultiváveis. Quando chegou a vez dos coatiaras, não tinha nada mais para dar. Como eram, todavia, o povo mais bonito, determinou que seriam, os coatiaras, como onças: não fariam nada. Viveriam de roubar e de matar seus inimigos.

Como se percebe, a onça, na América, seria um deus — se esse conceito fosse válido entre os índios. Os tupis, embora não a considerem precisamente um criador (ainda que admitam seja o espírito da onça quem faça crescer a mandioca), dão a ela um papel inverso, escatológico: pois será a grande jaguara azul, a onça celeste quem destruirá o mundo e extinguirá a humanidade, no fim dos tempos.

Muito mais estranha, na verdade, é uma outra crença do tupi: a de que os caraíbas eram capazes de se transformar em onças. A ideia é ainda mais surpreendente quando sabemos que precisamente os caraíbas nunca participavam do jogo canibal: não comiam carne humana; e (se fossem mortos) nunca eram devorados.

O cadáver de um caraíba não liberava o espectro, a imagem pútrida, como o corpo dos demais homens. Suas *angüera* também não enfrentavam as provas da morte, nem podiam ser aniquiladas. Pelo contrário, os caraíbas tinham o dom de ir, fisicamente, à terra dos mortos, à terra-sem-mal.

O sentido real do canibalismo começa a emergir dessa comparação.

Catarina Morena, cigana, natural de Sevilha, nos reinos de Espanha, e moradora no Rio de Janeiro, casada com o oleiro Brás Raposo, proprietário da fazenda da Penha de Inhaúma, compareceu espontaneamente à casa do ouvidor e fidalgo Luís D'Armas, onde corriam os atos da devassa, para acusar o cirurgião Gonçalo Preto, também boticário, de assassinar o serralheiro Francisco da Costa.

A testemunha teria chegado a tal conclusão depois de saber, por comentários feitos nas ruas do Castelo, que o crime acontecera na manhã de sábado, 14 de junho. E que essa afirmação teria partido do mencionado Preto.

Ora, Catarina Morena sabia, tinha certeza de saber que a morte do serralheiro não ocorrera no sábado. Porque fora ela, Catarina, quem lavara e amortalhara o corpo. Conseguira livrar o cadáver de todas as roupas, peça por peça, sem nenhum esforço. Se tivesse morrido de manhã, estaria ainda rígido — porque iniciara o preparo do defunto no próprio sábado, antes do meio-dia.

Logo, segundo a cigana, o cirurgião mentira dolosamente sobre a hora da morte, para encobrir o próprio crime, cometido no dia anterior, na sexta-feira, 13 de junho.

Ora, a tese da Morena destruía completamente o álibi de Gonçalo Preto, que estava no Castelo, prestando socorro ao inquiridor Gomes Torrinha, quando Simão Berquó deu a notícia da morte.

Constou dos autos, curiosamente, uma intervenção do próprio Luís D'Armas, que ajudara a carregar o féretro (no domingo, 15) e notara um mau cheiro excessivo para um enterro feito no dia seguinte ao óbito.

Todavia, sobre caranguejos e urubus (que teriam tido tempo para atacar o cadáver, se a morte houvesse mesmo acontecido na sexta-feira) não souberam o que dizer.

Lemos no corpo do processo que, na época do sumiço de Jerônima Rodrigues, Francisco da Costa atribuiu a Gonçalo Preto a culpa do incidente. Não o acusou de sequestro, como fez com outros. Disse que o cirurgião teria dado à mulher um chá do mato, com a intenção de seduzi-la; e que aquilo a fez ter visagens, perder o siso e confundir o rumo.

Esses testemunhos (conhecidos de vários cidadãos) se somaram ao de Filipa Mendes. Essa mulher (de quem não temos praticamente nenhum dado) afirmou ter Jerônima Rodrigues dito a ela, Filipa, que o marido, muito enciumado, por tudo que dela se murmurava na cidade, a vinha ameaçando; e que ela, Jerônima, acabara falando demais: confessara que, durante seu desaparecimento, estivera com um homem.

Não negara, a mameluca, a versão anunciada antes, de que fora capturada por uma tribo de mulheres. Disse que houve, depois do rapto, um homem. Apenas isso.

Era uma história escabrosa — e surpreendente àquela altura; mas que não implicava Gonçalo Preto no crime. Senão por um aspecto: Jerônima Rodrigues não sabia quem era esse homem; nem como chegara até ela. Não sabia em que lugar esteve; não sabia como fora parar nesse lugar; não saberia sequer descrever como eram as tais mulheres que a mantiveram presa; não sabia dizer como fugiu.

Filipa Mendes estava convencida de que um tal lapso de memória, tal embotamento da razão só poderia resultar de alguma droga, ministrada por alguém que não quisesse ser reconhecido por sua vítima.

Foi contra esse tipo de argumento que Gonçalo Preto teve de se defender. Não foi uma tarefa fácil, porque não tinha álibi para a sexta-feira, 13 de junho: alegara ter passado o dia em casa, no Castelo, sem atender a nenhum paciente. Era o que sempre acontecia, quando se embriagava excessivamente com tabaco.

Parece que as insinuações de Francisco da Costa — sobre Gonçalo Preto ter empregado uma beberagem alucinógena, na tentativa de seduzir sua mulher — tinham algum eco na mentalidade popular. Circulavam, de algum modo, na cidade, histórias sobre as habilidades do boticário no domínio da farmacopeia indígena.

As lendas do feiticeiro mouro podem não ser uma prova, mas são uma evidência disso. Andaram dizendo, para defesa de Gonçalo Preto, que ele poderia ter se equivocado na determinação da hora do óbito — não com dolo, mas por estar quase sempre embriagado, entorpecido pelo fumo, ou por infusões nativas, do que não conseguia mais se libertar.

Sobre esses fatos, tenho minha própria teoria: o *rigor mortis*, a rigidez cadavérica opera num período entre dezoito e vinte e quatro horas. Começa pela face, pelo queixo, e avança pelo resto do corpo. Quando atinge o ápice, recua, fazendo o caminho inverso: ou seja, termina no ponto de partida: na face, nas mandíbulas.

Assim, o rigor das maxilas pode indicar tanto o princípio como o fim do processo. Por esse critério, Francisco da Costa pode ter morrido na manhã de sábado ou no fim da tarde do dia anterior. Todavia, o testemunho de Catarina Morena aponta para a segunda alternativa.

Se houve dolo do cirurgião, não sei. A dúvida dos juízes é que me parece incompreensível: num caso ou noutro, urubus e caranguejos só atacariam o corpo depois de iniciada a putrefação do cadáver, que é posterior ao *rigor mortis*. Disso, talvez, aqueles portugueses ainda não soubessem.

§8º
A malícia de Duarte Velho

Na crônica da guerra tamoia, há um episódio quase heroico, reproduzido por Varnhagen e Capistrano de Abreu, em que figura um dos futuros acusados do assassinato de Francisco da Costa.

O ano é o de 1564. O lugar, a região de Angra dos Reis. Alguns vicentinos vinham no encalço de várias igaras de tamoios desde mais ou menos a altura da moderna Ubatuba, naquela guerra de escaramuças que caracterizou o período.

Ao passarem por umas ilhas, acharam os portugueses que havia rastros dos tamoios na praia de uma delas, sulcos compridos na areia, como se os índios houvessem desembarcado e se internado no mato, arrastando as igaras.

Como se tratasse de uma ilha, julgaram improvável houvesse em terra mais tamoios (a presunção é minha) porque decidiram continuar a perseguição. Foi quando *o moço Duarte e dois companheiros, vendo umas índias, que acenavam para eles*, se afastaram do grupo.

Parece que as índias, provavelmente jovens, provavelmente nuas, riam e gracejavam. Talvez por isso, não suspeitaram de nada. E quando os outros vicentinos perceberam, era tarde: só Duarte conseguiu escapar, ferido apenas no ombro, escondido atrás de um pedregulho. Os dois remanescentes foram mortos e logo retalhados, à vista dos cristãos.

Ora, Pero Velho — um dos fundadores do Rio de Janeiro, onde seria mordomo da irmandade de São Sebastião — estava entre aqueles vicentinos. Logo, o *moço Duarte* da crônica só pode se referir ao filho, a Duarte Velho, mameluco, natural da vila de São Paulo de Piratininga, descendente, por linha materna, do patriarca João Ramalho (o que, para aquela gente, equivalia a um título nobiliárquico).

Foi um impulso muito semelhante que o levou a ser acusado de assassinar o serralheiro. Tinha, ao que parece, desses rompantes obscuros. Poderia ter morrido, pela mão das índias. Porque foram elas que mataram e começaram a retalhar os corpos dos dois portugueses. Os tamoios, que conceberam a armadilha, só apareceram depois, para partir as cabeças.

Pero Velho, pai do moço Duarte, foi uma das personagens mais notáveis dos primeiros tempos do Rio de Janeiro.

Não tinha nobreza; imagino que tenha chegado à colônia sem muitos recursos. Esteve primeiro em Piratininga, tendo se unido a mamelucas, descendentes de João Ramalho. Duarte foi seu primogênito. Esteve, depois, na expedição do capitão Estácio. Em 1568, um ano após a morte de Francisco da Costa, era o único sesmeiro que realmente prosperava.

Quando a cidade foi transferida para o morro do Castelo, Pero Velho, em vez de brigar pela posse da Carioca e da Casa de Pedra, pediu ao governador que lhe fossem cedidas as terras antigas da urbe: ou seja, a própria cidade velha, então chamada de Perotapera.

Toda a sua atividade parece ter se voltado para o mar. Na praia de dentro (que era um razoável ancoradouro), Pero Velho começara a construir um estaleiro. E se dedicou radicalmente à pesca — na baía e em alto-mar, o que incluía a captura de golfinhos e baleias, então abundantes naquele litoral. Em 1569 era já o principal fornecedor de peixe fresco ou salgado aos navios que vinham ali fazer escala. E, empregando técnicas indígenas, produzia parte do sal consumido na cidade.

O alto prestígio de Pero Velho pode ser medido pelo fato de ter sido eleito mordomo da irmandade de São Sebastião, a primeira que se formou no Rio de Janeiro, ainda no tempo do capitão Estácio. Era um homem devoto (parece) e de rígidos princípios. Duarte, por exemplo, apesar de mameluco, era seu herdeiro legítimo.

Foi da Carioca que vieram as onças, em congresso. Era ainda o tempo do capitão Estácio. A população já estava recolhida, quando se ouviu o primeiro bramido, oriundo da mata. Embora todos estivessem seguros dentro da cerca, a sentinela tentou localizar por onde vinha a fera; e alguns homens saíram às ruas, armados, para enfrentá-la.

Os rugidos, então, foram ficando mais intensos e mais próximos. Tão logo concluíram que ela vinha pela banda de dentro, outro esturro explodiu, do lado oposto. A incerteza sobre a direção da bicha, contudo, durou pouco: de repente, os esturros começaram a emergir de vários pontos diferentes; pareciam partir de todos os cantos da floresta. E foi isso que alarmou os moradores: seriam, desse modo, não apenas uma — mas muitas onças, rondando a cidade.

Apesar de muita gente ter identificado pares de olhos acesos contra o fundo negro da noite, nenhuma onça, concretamente, foi vista ou capturada. Não era, contudo, imaginação: no dia seguinte, havia inúmeras pegadas espalhadas pelo entorno da cidade.

Nas noites seguintes, aconteceu de novo. O número de animais pareceu mesmo ter aumentado, tal o volume dos rugidos. Um dos moradores, certa vez, saiu para fora da paliçada, decidido a afugentar as feras. Topou uma delas na praia de fora. Era uma pintada enorme, uma jaguaracanguçu lindíssima, de olhos chamejantes, garras afiadas, mandíbulas letais.

Embora estejam associadas à morte, onças compartilham com as serpentes o mesmo poder de fascinar, seduzir, hipnotizar a presa. Foi o que aconteceu com ele, durante um instante ínfimo de tempo — porque nem a iminência da morte é capaz de privar a humanidade do amor pela beleza.

E a onça veio vindo. Surgira da encosta interna do Cara de Cão, sem ter sido pressentida; e estava agora armando o bote, contra o alvo humano, que empunhava o arco, para encarar a fera.

Foi tudo muito rápido: o animal deu duas largas passadas e saltou. O homem acompanhou toda a trajetória daquele impressionante arremesso. Disse ter disparado cinco flechas, naquele curtíssimo intervalo. E só parou de atirar quando, percebendo que não a atingia, que as flechas pareciam passar por dentro dela, tentou fugir — não sem sentir, antes, um forte impacto às costas, enquanto a fera saltava, de novo, para a outra banda da floresta.

Não era, contudo, imaginação: o homem tinha enormes arranhões que desciam do glúteo até a face lateral da coxa esquerda, impressos pelas garras da onça.

Veio, então, a batalha de Uruçumirim, a morte do capitão Estácio e a mudança da cidade para o morro do Castelo. O sítio da cidade velha passou a ser a sesmaria de Perotapera. As onças pareciam ter sumido, definitivamente. Até que, na noite da Paixão, quando todos já estavam recolhidos, urros começaram a ecoar. Tudo parecia se repetir. Estavam os moradores talvez eternamente sitiados. Mais que isso: invadidos — porque as feras andavam já no interior da improfícua paliçada dupla.

Algumas onças, ao se aproximarem da casa-grande e do galpão, eram repelidas a tiros de mosquete. Nenhuma delas, no entanto, fora alvejada — o que tornava a aventura ainda mais improvável. E continuavam rondando, ameaçando, esperando um descuido de suas possíveis presas. Duarte Velho, então, ao pressentir a presença de uma delas ao lado da porta do armazém onde estava, decidiu sair, sorrateiramente, com sua besta.

Era uma jaguarana, uma onça-preta. Quando viu o homem, a poucos passos, armou o bote, arregaçando os dentes, que brilharam à luz da lua. Duarte, contudo, foi mais rápido. Mirando bem entre a chama dos olhos, fez seu único disparo. A onça, todavia, se esquivou, de um modo meio fantástico, colando contra o chão o corpanzil, como se fora uma serpente.

O filho do mordomo considerou, então, a iminência da morte. Paralisado, viu a onça dar um salto súbito. Afortunadamente, não fora contra ele. Negra e livre, como era, apenas mergulhou na noite; e se perdeu.

Conto a lenda do sítio das onças porque essas histórias se ligam, de algum modo, à família Velho e à história do assassinato de Francisco da Costa. Perotapera teria sido arena de cumplicidades sórdidas, entre pai e filho — que atraíram as feras.

A sesmaria de Pero Velho (volto agora ao plano da história), por ter sido o núcleo urbano da cidade, tinha já uma pequena estrutura que lhe dava autonomia: poço, casas, cerca defensiva, a ermida rústica de São Sebastião. Depois da mudança, parte da população continuou morando lá; na qualidade de rendeiros, provavelmente.

O mordomo, todavia, teria conservado, além desses rendeiros, algumas mulheres — concubinas, que dividia com o filho. Teriam sido (segundo outros) as primeiras prostitutas do Rio de Janeiro.

Se há nisso algum fundo de verdade, pode ser o caso de Bárbara Ferreira, a cristã-nova acusada de furto que depôs, na devassa, contra Afonso do Diabo. Como vimos, Bárbara viera para casar. E, mesmo num lugar que tinha mais homens que mulheres, não obteve sucesso.

Um episódio real, constante do processo, também pode ter uma relação direta com a lenda de Perotapera. Foi um fato de conhecimento público; e está assim nos autos: às vésperas da transferência da cidade, Pero Velho, mencionando o sumiço de Jerônima Rodrigues, tentou convencer Francisco da Costa a permanecer morando na cidade velha, mantendo no Castelo apenas sua oficina. Teria falado em desonra, em adultério, no chapéu de cornos que o serralheiro deveria usar.

Francisco da Costa aumenta o tom de voz; não é certo que tenha ofendido o mordomo. Com certeza, não o agrediu. Duarte Velho, no entanto, cedendo a impulsos obscuros, atinge o serralheiro pelas costas, com um pau, com a bengala do pai.

O leitor pode estar se perguntando por que também Pero Velho não foi réu do crime. Parece (é a lenda) que era cego; que ficou cego — quando começou o ataque das onças.

Outro escândalo público protagonizado por Duarte Velho aconteceu diante da casa do governador, na rua direita, sendo testemunha principal o meirinho Vasco Espinha. Esse oficial conduzia Jerônima Rodrigues à casa do fidalgo Luís D'Armas para prestar seu segundo depoimento (provocado pelas declarações de Filipa Mendes). Nesse momento, Duarte Velho entrava no Castelo, vindo de Perotapera.

Para criar um pouco mais de expectativa, peço que o leitor imagine a cena, sincronizando os movimentos: enquanto a viúva, toda envolta numa mantilha negra, fazia o percurso pela rua de trás até a direita, onde ficava a casa do ouvidor — Duarte, ansioso, vencia a ladeira e cruzava a muralha, pois tinha assunto urgente a tratar com Mem de Sá.

É provável que, enquanto esperava ser admitido, tenha visto Jerônima Rodrigues dobrar a esquina e entrar na rua direita, pois a casa do ouvidor também ficava nessa rua. Duarte, então, caminha na direção da mulher; e se dirige a ela, num tom excessivamente familiar. A mameluca reage, com a dignidade de seu luto. É quando o filho do mordomo, cedendo a impulsos obscuros, se excede — tomando o braço da viúva e quase pondo os beiços contra os lábios dela.

Jerônima Rodrigues, então, assesta um tapa no rosto de Duarte — o que logo atrai uma pequena multidão. O filho do mordomo, por sua vez, responde com obscenidades, ditas em voz alta, para o povo ouvir. Vasco Espinha pede paciência, ponderando que acabavam de matar um homem. Ao que Duarte Velho retorquiu — pois pensara *houvesse sido um serralheiro*. Mem de Sá, por isso, quase manda açoitá-lo.

Em 1569, estavam presos, na cadeia do Rio de Janeiro (que ficara pronta), os mamelucos Duarte Velho e Beatriz Ramalho. Não temos o processo; só o termo de fiança, pago para que os réus se defendessem em liberdade. Podemos, no entanto, intuir qual fosse a acusação.

A mãe de Beatriz, uma das inúmeras descendentes de João Ramalho, era irmã da de Duarte Velho. Eram os presos, portanto, primos colaterais.

Beatriz Ramalho chegara à cidade em 1566, vinda provavelmente na mesma leva de moças vicentinas que buscavam casamento. No mesmo ano, contraiu matrimônio com Gomes Torrinha. O casal recebeu terras em Sarapuí, no recôncavo da Guanabara.

Na devassa que apurou o assassinato de Francisco da Costa, Beatriz Ramalho negou o álibi alegado por Duarte Velho: o filho do mordomo dissera ter estado na casa da prima, e na companhia dela, durante toda a sexta-feira, 13 de junho, tendo saído pouco antes de Gomes Torrinha chegar, já quase noite, pois cruzara com o inquiridor diante das portas da cidade, quando as mesmas já estavam se fechando.

Como podemos constatar, os juízes, àquela altura, consideravam a possibilidade de o crime ter ocorrido na sexta, e não no sábado, contrariando a teoria de Gonçalo Preto.

Para o dia 14, Duarte Velho mencionou várias mulheres, moradoras em Perotapera, que poderiam atestar, em sua defesa, tê-lo visto passar o sábado na companhia do pai.

§9º
A inocência de Simão Berquó

Na sexta-feira, 13 de junho, véspera de quando Simão Berquó encontrou o corpo de Francisco da Costa, certa Andresa, escrava tamoia, propriedade de um morador do Rio de Janeiro (cujo nome não consegui decifrar, pela péssima caligrafia), ouviu, durante o sono, o canto de um saci. Esse pequeno pássaro (também dito peitica, crispim, fenfém, matintaperê ou *Tapera naevia*, no latim impuro dos taxionomistas) é, para os indígenas, um mensageiro dos mortos.

Porque os mortos, na verdade, cantam. Descrevem como, quando, onde e por quem morreram. Não dizem a causa, apenas, porque esta é única, é universal: vingança. É o canto dos mortos que os sacis aprendem e reproduzem para os pajés, durante o sono, para exigir sejam também vingados — e não termine nunca o pêndulo que move o mundo.

Andresa, portanto, era pajé. Não acordou, a índia (como se lê no documento), enquanto ouvia as primeiras estrofes. E pôde compreender que o saci era emissário de alguém que mal acabara de morrer; mas que não declarava o nome do assassino. A casa onde Andresa servia fazia fundos com a de Francisco da Costa.

Tentava captar, a tamoia, o conteúdo completo da mensagem, quando a voz do saci foi subitamente suplantada, e interrompida, pelo pio duplo e forte de um macuco. Andresa, então, despertou. Sabia que, àquela hora, macucos não repetem o pio.

Não pôde ir (como fora Inês Flamenga) espiar pela rótula da sala, porque dormia na cozinha, do lado de fora, e a porta era aferrolhada por dentro. Subiu, então, na árvore do quintal. E percebeu um vulto — certamente de homem, mas um vulto apenas — dobrar para a travessa. Vinha, com certeza, do baluarte da Sé.

Nesse ponto o inquiridor pergunta à testemunha se o referido homem tinha armas; se poderia identificá-lo pela roupa, ou por algum cacoete do andar; se chegara a ver a casa para onde se dirigia. A tamoia não sabia nada.

Vieram, então, as questões protocolares: se ela suspeitava de alguém, se sabia de alguém que pudesse ter interesse em matar o serralheiro.

E Andresa responde, ressalvando que não tinha certeza, que não chegara a escutar o canto inteiro do saci; mas arriscaria o nome de Simão Berquó, porque era, o mameluco, o único morador da ilha de Paranapecu.

Surpreso, o inquiridor pede à depoente que esclareça a relação entre uma coisa e outra. A tamoia, então, diz — como se aquilo fosse muito óbvio, como se já fosse do conhecimento de todos — que Paranapecu era o lugar onde Jerônima andara extraviada.

A última pergunta o leitor intui: se fora a própria Jerônima Rodrigues quem lhe confessara o fato. E a tamoia nega. Disse que nem seria necessário; que fora ela, Andresa, quem socorrera a mameluca, na Carioca. Estava encharcada, o corpo tinha cheiro de sal, ofegava como quem houvesse nadado uma enorme distância. Paranapecu era a única ilha da Guanabara que tinha água potável e mato suficiente para manter uma pessoa incógnita, por tanto tempo.

Simão Berquó, mameluco, com três quartos de sangue indígena, nascido na povoação de Santo André da Borda do Campo e morador no Rio de Janeiro, só entrou para a história por ter sido réu no processo que apurava o assassinato de Francisco da Costa. Sobre ele, nada mais se sabe.

Talvez seja plausível presumir, por residir em Paranapecu, que fosse uma espécie de capataz, de vigia das terras da família Sá, ainda inexploradas; ou de alguém que gozava dos favores do governador, por motivo que desconhecemos.

O depoimento de Andresa, ainda que não tenha sido taxativo, se encaixava muito bem na teoria geral do crime: a do motivo passional. Simão Berquó não tinha apenas interesse na mulher da vítima — havia chegado ao ponto de sequestrá-la.

Essa tese resolvia também o impasse sobre a hora do crime: teria sido mesmo no sábado 14, de manhã, como afirmara, desde o início, o cirurgião Gonçalo Preto. E fora precisamente o mameluco Simão *quem achou o corpo e deu notícia disso*. Não deixava de ser ardilosa, a estratégia.

Vasco Espinha foi, então, até a ilha, com o propósito de descobrir evidências do cativeiro de Jerônima Rodrigues. Diligenciou, naturalmente, na choupana do Berquó: havia nela cerca de quinhentos mil-réis, em moedas de ouro e prata. Foi inevitável associar essa fortuna à bolsa do finado, que a viúva dava como desaparecida.

Rezam as Ordenações Manuelinas, conforme o título 42 do livro quinto, que *cada um do povo pode querelar, salvo se for imigo*. Sábio princípio, esse; porque — sendo a prova, na época, essencialmente testemunhal — não poderia a justiça de el-rei servir de instrumento a vinganças pessoais.

Mas princípios jurídicos nem sempre se observam, na prática. E as antigas devassas — tipo de processo cuja iniciativa competia à própria autoridade julgadora, cuja convicção se formava com base em amplíssimos interrogatórios — permitiam muito facilmente tais desvios.

No mundo lusíada, durante o século 16, era a própria população quem exercia, na prática, o controle social e a prevenção do crime — posto que um denunciava o outro. Isso se agravou particularmente depois da criação da Mesa de Consciência e Ordens, em 1532; e, quatro anos mais tarde, com a instalação do Tribunal do Santo Ofício.

Nas vilas e cidades brasileiras — embora se tratasse, na verdade, de um outro mundo — prevalecia essa mesma cultura da denúncia, muitas vezes gratuita, muitas vezes por ouvir dizer. As autoridades estimulavam essa conduta; e creio eu que as informações obtidas nos inquéritos acabavam vazando para as ruas, a fim de serem ratificadas, ou para estimular outras denúncias e o acúmulo de provas.

Foi assim que, logo após o depoimento de Andresa, comparece espontaneamente à casa do fidalgo Luís D'Armas a testemunha-chave do processo: Felícia, do gentio tamoio, batizada, escrava de Mateus Cavério, que declarou ter sido procurada por Jerônima Rodrigues, pouco tempo depois da morte do capitão Estácio (ou seja, em fins de fevereiro ou princípio de março), solicitando dela, Felícia, algum remédio que a fizesse abortar, pois temia ter ficado grávida do homem que a violentara, enquanto esteve perdida na floresta.

Indagada se tinha ela, Felícia, alguma suposição sobre a identidade desse homem, algum indício, alguma pista, disse a testemunha que não sabia nada. Aliás, sabia, sim, alguma coisa: que não fora um índio quem estivera na floresta com Jerônima Rodrigues — mas um português, um cristão, um cidadão, um morador do Rio de Janeiro.

Referem cronistas do tempo (André Thevet entre eles) um rito fundamental que delimita a posição ontológica da onça no pensamento tupi.

Quando pressentem que uma onça ameaça a taba, ou está nas redondezas, representando perigo para caçadores ou qualquer outra pessoa que entre na mata, os índios armam mundéus — porque necessitam capturar o animal vivo.

É na taba que o matam, com uma pancada de ibirapema, na cabeça. Racham a cabeça da onça exatamente como fazem com a dos inimigos. A onça (esqueci de dizer) também recebe pintura e ornamento idênticos ao das vítimas humanas. Sua carne, contudo, não é consumida.

E a razão é simples: do corpo da onça não emerge nenhum *taguaíba*, nenhum espectro assombrado. A onça já é um espírito: um espírito que assumiu, voluntariamente, circunstancialmente, forma visível e matéria pesada. A onça, canibal e matador por excelência, está imune à aniquilação total, tem identidade plena, é um ser completo — perfeito, no sentido etimológico do termo.

Como perfeitos são também os caraíbas. Disse antes que esses grandes feiticeiros têm o poder de se transformar em onças. Não é isso: caraíbas são onças, propriamente ditas, que se apresentam com uma pele humana. Por isso são tão perigosos, tendo que viver fora da taba, isolados na mata — porque a mata é o território dos espíritos.

A terceira manifestação desse mesmo princípio é o fundamento da própria tupinidade, presente na vida de todos os homens. O maior mérito, a maior conquista de um guerreiro tupi era o nome obtido quando rachasse a cabeça de um inimigo. Só depois de conquistado um nome desses, a partir da morte, era permitido ao homem ter um filho e dar um nome a ele.

Os que leram a crônica colonial, o epistolário jesuíta, as narrativas francesas ou outras fontes da época talvez não acreditem nessa informação, porque nesses documentos grandes personagens históricas indígenas ficaram conhecidas apenas por um único nome: Cunhambeba, Pindobuçu, Aimbiré, Caoquira, Abatipoçanga, Tibiriçá, Araribóia.

Esses "nomes", na verdade, não eram os verdadeiros. Podemos considerá-los, tecnicamente, como meros apelidos. Nomes, num sentido estrito, eram anunciados apenas uma vez, e mantidos depois secretamente. Constituía ofensa grave, ou falta de decoro, nomear uma pessoa por um de seus nomes próprios.

Não conhecemos, portanto, nenhum exemplo deles. Mas parece que tais nomes eram grandes amuletos, eram as armas principais com que se enfrentavam os perigos da estrada dos mortos.

Não sei se mencionei que, para cada nome conquistado dessa forma, o matador tupi fazia uma incisão no corpo, com dente de cutia, e aplicava na ferida um pó de urucum — do que resultava uma espessa cicatriz.

Mais que os nomes, na verdade, o objetivo do matador era ter no corpo tantas cicatrizes que lhe permitiam fundar a própria taba; ou seja: adquirir a posição de tuxaua.

São eles, os tuxauas, os únicos membros da taba que podem ser sepultados dentro da própria oca — porque seu cadáver não libera nenhuma *taguaíba*, nenhum espectro. Os tuxauas também são, logicamente, onças. E as cicatrizes que acumulam não passam de transfigurações do que realmente está ali; são aquelas manchas negras da pelagem — que indicam nele a natureza felina.

É assim que se deve compreender a frase célebre do tuxaua Cunhambeba, registrada por Hans Staden: *jaguara ixé* — eu sou uma onça.

Não sei se o leitor sente como eu a grandeza dessa sabedoria. Ao terem a onça como meta, como objetivo ontológico, os antigos tupis afirmam que a condição humana não é hierarquicamente superior, no ordenamento natural; que não são os homens a realização suprema do criador do universo; que não somos, que estamos longe de ser melhores que qualquer animal.

O leitor deve estar lembrado de que Jerônima Rodrigues foi abordada na rua direita por Duarte Velho, em frente à casa do governador, quando era conduzida pelo meirinho Vasco Espinha para prestar seu segundo depoimento no caso do assassinato do marido.

O objetivo dos juízes, com esse segundo interrogatório, era ratificar a informação de Filipa Mendes, sobre ter a viúva estado no mato com um homem, entre janeiro e fevereiro daquele ano. Era a primeira vez que a mameluca era intimada a falar sobre esse tema.

Infelizmente, não sabemos como reagiu: se chorou; se se indignou; se titubeou; se demorou a responder. Jerônima Rodrigues (é dedução segura) comentara publicamente apenas que fora capturada por uma tribo de mulheres. A presença do homem — que o marido a pressionara a confessar — fora mencionada num círculo muito privado.

Na linguagem sóbria dos autos, todavia, está somente o conteúdo frio da resposta: Jerônima Rodrigues admitia ter sido forçada por um homem. Mas seria incapaz de reconhecê-lo, porque não tinha visto o rosto. Não justifica, contudo, o porquê desse estranho fato; não menciona ter estado vendada ou o homem ter usado máscara.

Após o testemunho de Felícia, Vasco Espinha foi intimar Jerônima pela terceira vez. Queriam saber, agora, que elementos tinha a mameluca para asseverar que se tratava de um morador do Rio de Janeiro.

É quando tudo se revela: Jerônima Rodrigues (imagino tenha sido um depoimento difícil) não pôde deixar de constatar que o homem, apesar das cicatrizes grossas que desciam do glúteo à face lateral da coxa esquerda (feitas naturalmente por algum felino), não podia ser um índio — porque tinha barba, apesar de rala.

E disse mais: que, depois de muito relutar, acabara contando aquilo ao marido. Contara ao marido aquelas coisas, com riqueza de pormenores, uma semana antes do assassinato.

Do auto de prisão de Simão Berquó consta que seu corpo fora examinado e visto ter, do glúteo à face lateral da coxa esquerda, grossas cicatrizes, como as descritas por Jerônima Rodrigues. Teriam sido, segundo o réu, resultantes de uma patada de onça — quando houve o cerco da cidade velha.

De todos os dez acusados, foi o único que não respondeu em liberdade. Não houve quem pagasse a fiança.

Simão Berquó confirmou o depoimento das sentinelas, de que fora à Carioca armado de arco e flechas. No entanto, nunca confessou o crime. Melhor: não confessou o assassinato. Admitiu ter pego os quinhentos mil-réis; feito em pedaços a oitava flecha cravada ao mesmo tempo na bolsa e no cadáver; e lançado tudo na Guanabara.

Não tocou, contudo, no dinheiro; não necessitava dele. Esperava apenas a oportunidade de entregá-lo à pessoa principal da cidade: Mem de Sá. Tentara algumas vezes uma audiência com o governador. Mas o mandavam embora, mal chegava à porta.

Os juízes não levaram em conta que Simão Berquó tinha ido à Carioca para caçar saguis, que depois vendia como xerimbabos. Como ninguém ignora, flechas para captura de animais vivos eram de pontas rombudas: serviam para derrubar — e não ferir.

§ 10º
A covardia de Gomes Torrinha

O segundo assassinato ocorrido no Rio de Janeiro é de 1573. O ouvidor de então, Clemente Pérez, foi cruelmente ferido, a machadadas, e depois executado, com uma pedrada na cabeça.

Confessou o crime Soeiro Vaz, sobrinho do finado Francisco da Costa — mesma personagem que (quando ainda era menor) acusara Gomes Torrinha de ter matado o tio. A história interessa precisamente por isso.

Soeiro Vaz contou que acertara algumas vezes o ouvidor Clemente Pérez; e o deixara mal. Gomes Torrinha, contudo, que fora o mandante e testemunhara o feito, vendo que o ferido agonizava, com risco de sobreviver, aconselhou o agressor (que já se livrara do machado) a liquidar aquilo, sugerindo que esmagasse o crânio da vítima com o pedregulho.

Não me estenderei, porque não é esse o meu assunto: Gomes Torrinha chegou a ser enviado, preso, para julgamento em Lisboa. No porto da Bahia, o então governador-geral, Luís de Brito, manda retirá-lo da nau e o engaja na bandeira de Antônio Dias Adorno, que partiu em 1574. Andou também, depois, na de Gabriel Soares de Sousa.

Estava já doente, e cheio das sequelas daquele tipo de aventura, quando recebe a notícia de ter ficado livre da segunda acusação.

Para os moradores do Rio de Janeiro, contudo, já não havia dúvida: era Gomes Torrinha, certamente, o assassino de Francisco da Costa. A mentalidade popular, de fato, dificilmente compreende acasos.

Retomemos agora o libelo de Soeiro Vaz, em 1567, reproduzido no capítulo primeiro, em que o então menor acusa Gomes Torrinha de assassinar o tio, Francisco da Costa.

Há no texto, fundamentalmente, três afirmações. A primeira: que Gomes Torrinha *conversava* Jerônima Rodrigues, antes e depois do crime. Segunda: que se gabara, tanto de ter matado o serralheiro como de poder dispor, então mais à vontade, da mulher. Terceira: que fora visto, o inquiridor, na Carioca, depois do crime, com arco, flechas e outras armas.

Não houve testemunhos, na devassa, que atestassem qualquer relação adúltera, anterior ou póstuma, entre Gomes Torrinha e Jerônima Rodrigues.

Também não houve — e seria quase impensável que houvesse — quem tenha ouvido o inquiridor se vangloriar de ter matado o serralheiro, para lhe tomar a mulher.

O cerne da questão está, me parece, no último tópico: Soeiro Vaz diz que, depois de ter assassinado Francisco da Costa, Gomes Torrinha *logo fora visto no lugar do malefício com arcos e flechas e outras armas.*

Ora, como consta também do depoimento de Duarte Velho, na sexta-feira 13, o inquiridor teria entrado na cidade no fim do dia, quando as portas já estavam sendo fechadas. As sentinelas ratificaram esse testemunho, acrescentando um dado importante: Gomes Torrinha fora o derradeiro morador a transpor as muralhas do Castelo, no dia 13. Outras pessoas o tinham visto, antes, se dirigir à Carioca. Fora e voltara remando a própria igara.

Sobre se estava armado, como afirmou Soeiro Vaz, disseram que era verdade: tinha arco, flechas e um facão, desses que caçadores usam para picar o mato.

Minha primeira ponderação é sobre o número de flechas: será que Gomes Torrinha, depois de disparar oito delas, teria ainda tantas consigo, ao entrar na cidade? Seria essa quantidade tão notória, tão expressiva, a ponto de as sentinelas ainda se lembrarem, três meses depois, pois a acusação de Soeiro fora feita em setembro? Não teria receio, o Torrinha, de que confrontassem as flechas que ainda carregava, e expunha, com as que inevitavelmente seriam encontradas no cadáver, no dia seguinte?

A tese, portanto, era mesmo fraca. Mas — depois de Simão Berquó ter escapado da forca; depois de o mesmo Soeiro Vaz fazer nova acusação — Gomes Torrinha não tinha mais defesa: as mentalidades, no geral, não admitem acasos.

Para o governador-geral Luís de Brito, o engajamento de Gomes Torrinha nas bandeiras baianas se justificava *por ser o dito réu douto nos mapas antigos que mostram esse rio de Iguaçu e o lugar da lagoa.*

Embora única, é essa a referência histórica, documental, que permite ligar o inquiridor ao assunto das minas. Logo, também ao mapa de Lourenço Cão, à Casa de Pedra, à cena do crime.

Não pode haver dúvida de que tenha estado na Carioca: testemunhas o viram seguir naquela direção, na sexta-feira 13. E, naquele dia, foi o último a voltar para o Castelo, a subir a ladeira, a cruzar a muralha, quando as portas iam se fechar. Duarte Velho disse isso, para provar que estava na cidade e se livrar da culpa. As sentinelas confirmaram esse relato.

Uma pequena omissão, contudo, é notável: ninguém — nem os vigias do forte, nem o filho do mordomo — menciona que Gomes Torrinha estivesse ferido, ou que mancasse. Para um inquérito criminal, é uma circunstância relevante, que dificilmente deixaria de chamar a atenção.

Ora, antes do depoimento de Catarina Morena (que lançou dúvidas sobre a hora do óbito), quando todos ainda pensavam que o crime ocorrera no sábado 14, Gonçalo Preto alegou não ter deixado o recinto da cidade, nesse dia; e dava como álibi ter estado na casa de Gomes Torrinha, que tomara um tombo e torcera o joelho.

Ou seja, Gomes Torrinha parece ter voltado da Carioca são, na sexta-feira; mas acordara machucado, no sábado. Por onde andou, Gomes Torrinha, durante a noite?

Voltemos à cena, ou cenas noturnas: Jerônima Rodrigues viu um vulto entrar na rua de trás, depois do cotovelo, vindo em sua direção; Inês Flamenga viu dois vultos descerem a mesma rua de trás, mas antes do cotovelo, na direção da Sé; Andresa viu um vulto subir do baluarte, passando pela Sé, e dobrar na rua travessa.

Não é possível determinar o momento dessas aparições. Não sabemos se se trata das mesmas pessoas. Não sabemos sequer se correspondem a pessoas, no sentido natural do termo. Mas podemos criticar o modo como foram percebidas pelos juízes da devassa.

À de Jerônima Rodrigues, não deram nenhuma importância — ainda que o vulto tenha parecido ameaçá-la, a ponto de forçá-la a passar a noite com uma faca de cozinha.

Aos vultos da Flamenga, todavia, deram todo o crédito — tanto que dom Rodrigo de Vedras foi acusado de matar o serralheiro e sofreu processo. Não se preocuparam, contudo, em identificar o segundo homem, provavelmente o que imitou erroneamente o pio do macuco.

Já em relação ao de Andresa, essa preocupação existe, porque perguntaram à testemunha (como já escrevi) "se o referido homem tinha armas; se poderia identificá-lo pela roupa, ou por algum cacoete do andar; se chegara a ver a casa para onde se dirigia".

Usei *perguntar* no plural, indeterminadamente, porque os inquéritos são impessoais. Todavia, o inquiridor, o oficial responsável pelas perguntas, na devassa, foi Gomes Torrinha. É ele, portanto, quem tenta, quem se preocupa em descobrir se Andresa tinha algum suspeito.

Ora, como vimos, Gomes Torrinha morava na rua travessa. Se fosse dele o vulto visto pela tamoia, era importante saber se não seria identificado pela roupa ou pela casa. Se saíra à noite, certamente estava armado. E teria indagado sobre um possível "cacoete do andar" porque, àquela hora, já torcera o joelho, já tomara o tombo que também lhe machucara as costas — provavelmente tentando pular as muralhas do Castelo.

Eis um enredo possível: Gomes Torrinha é a pessoa que Francisco da Costa espera. É, provavelmente, um cúmplice. E o interesse comum é a Casa de Pedra.

O serralheiro, contudo, não percebe a aproximação do inquiridor, que vem por trás, pelo braço direito do rio. Tem arco e flechas, talvez por receio de alguma traição.

Mas não vai ao encontro de Francisco da Costa. Não faz o que havia previamente combinado. Talvez não tenha percebido o outro, agachado no meio dos mangues. Talvez tenha, fundamentalmente, medo.

É quando nota a agitação da folhagem; e assiste ao serralheiro correr, na direção da Casa — antes de tombar, com o impacto de flechas que não são as suas.

Não vê, Gomes Torrinha, quem matou. Talvez tenha pressentido, como a vítima, alguma coisa estranha, a insuspeita presença do assassino. Continua, assim, escondido; e espera, até se sentir em segurança, para voltar à cidade.

Sabia, no entanto (porque era um cúmplice), que o serralheiro tinha dinheiro na bolsa. Dinheiro que talvez lhe fosse destinado. Então, à noite, tenta voltar à cena do crime, pulando o muro da cidade, na altura do baluarte, que era (como já mencionei) o ponto mais baixo do morro. Mas torce o joelho e despenca, infelizmente, caindo de costas nas pedras.

Simão Berquó, que achou o corpo, foi quem pegou a bolsa, depois de arrancar, e lançar fora, a oitava flecha.

O leitor talvez não compreenda a razão de Gomes Torrinha ter hesitado tanto em ir ao encontro do serralheiro. Também não tenho certeza, apenas hipóteses.

Não custa lembrar que Duarte Velho declarou, na sua frente (pois era ele o inquiridor), que esteve toda a sexta-feira 13 em sua casa, na companhia de sua mulher, Beatriz Ramalho. Não há registro de qual tenha sido sua reação.

Beatriz Ramalho seria ainda presa, em 1569, nas mesmas circunstâncias de Duarte Velho. Foi, muito provavelmente, um caso de adultério. E também não há nenhum dado histórico sobre a atitude do marido.

Raciocinem comigo: era 1569, vigiam as Ordenações Manuelinas. Se Gomes Torrinha tivesse matado o filho do mordomo, ficaria livre. Mas não matou, não reagiu, não se vingou. O que esperar, então, de um homem desses?

CAPÍTULO QUARTO

"(...) de maneira que há cá muitas mulheres
que assim nas armas
como em todas as outras coisas
seguem ofício de homens (...)"

De uma carta do irmão Pero Correia,
em São Vicente, 1551

§ Único
Oito flechas para um assassino

Nas narrativas policiais clássicas, o último capítulo é o das revelações. Quebro, de certo modo, a velha fórmula, antecipando o fim, pois o livro tem enigmas que vão além do próprio crime. Convém, naturalmente, começar pelo mais fácil, pela identificação precisa do assassino.

Como nosso caso é real, como se trata da vida e não da fantasia, é impossível aplicar o método vulgar dos romancistas, que examinam o pensamento, as emoções, o subconsciente de suas personagens — coisa que no mundo prático só alcançam os feiticeiros ou os telepatas. Isso, aliás, é o que faz de toda ficção psicológica um subgênero da literatura fantástica.

Resta, assim, à investigação criminal o recurso elementar, cotidiano, aquele que empregamos tacitamente quando queremos conhecer ou conceituar um indivíduo: a análise dos fatos. Façamos logo, portanto, um estudo preliminar, comparativo, do caráter dos suspeitos.

Sabemos que dom Rodrigo de Vedras, o primeiro acusado, já havia cometido dois homicídios em Portugal. Foi um crime sórdido: Rodrigo matou o irmão e a cunhada, atraiçoou o próprio sangue, iludiu as vítimas para surpreendê-las, onde não teriam defesa. Agiu com premeditação, com frieza, para obter sua vingança. Teve comportamento semelhante durante a caça à suaçurana, quando abandonou Mateus Cavério diante da fera acuada. Talvez já soubesse que se tratava de uma onça-parda; e já tivesse, nessa época, disputas de poder com o fidalgo genovês. Matar um homem com oito flechadas nas costas condiz bastante com a personalidade de um traidor.

O carcereiro Afonso do Diabo personifica o logro, o engano, a mentira. Matar um homem pelas costas pode bem resultar de alguma estratégia fraudulenta. O Diabo roubava no jogo, ludibriando os parceiros na manipulação dos dados. Conhecendo a lenda de que os carajás não podiam deparar um olhar humano, teve a esperteza de explorar as matas com os olhos fechados. E certamente usou de algum artifício na escalada do penhasco para tomar o forte francês de Serigipe.

Mas talvez seja Tomé Bretão o suspeito mais natural: era francês, era pirata, era inimigo de guerra — predisposto, portanto, a matar. Sua biografia mostra grande pendor para a violência pura, quase gratuita: sequestrou mulheres, espoliou riquezas, participou da chacina de uma tripulação já dominada. Nenhum desses fatos é mais eloquente que o de ter se oferecido para algoz na execução de Simão Berquó.

Melquior Ximenes é o proscrito, o inimigo da religião — que é também um inimigo do reino. Em Portugal, prestou auxílio criminoso aos judeus; na colônia, se deixou tomar pelos costumes indígenas. Praticou todo tipo de heresia. Recorreu a feitiços e a feiticeiros. É mesmo provável que tenha comido carne humana. Não seria inverossímil que matasse um homem com oito flechadas nas costas.

Já Martim Carrasco, emblema de vaidade e arrogância, pode ter disparado as mesmas oito flechas num dos seus acessos de fúria. Foi isso que o levou a incendiar a própria fazenda, revoltado com a denúncia de que ocultava um alambique. Teve impulso similar no episódio que culminou na separação de tamoios e temiminós, porque não aceitava contradissessem seu testemunho. A mesma raiva latente o levou a ameaçar o serralheiro com a espada.

Brás Raposo, por sua vez, simboliza a ganância, o apego ao dinheiro. A circunstância de ser cristão-novo o põe naturalmente nessa condição. Fora nomeado, por exemplo, tesoureiro da câmara. Casara em segundas núpcias com uma mulher mais rica que a primeira. Tinha o faro dos bons negócios, porque instalara uma olaria numa cidade que necessitava de telhas. E foi esse instinto que o levou a provocar a morte do criado mameluco, no episódio dos goitacás. Era também capaz de desperdícios para realizar grandes desejos, como o de ter Jerônima Rodrigues (de que é prova o caso da proposta de compra da casa e das roupas do morto). Os quinhentos mil-réis que estavam na bolsa do serralheiro podem ter sido emprestados por ele.

Embora seja o mais improvável dos suspeitos, Gonçalo Preto também poderia ter matado, se estivesse sob o efeito das desconhecidas drogas nativas em que se viciara. Em vez de provocarem torpor, talvez aguçassem os sentidos e dessem agilidade bastante para fazer um homem atirar oito flechas certeiras nas costas de um rival.

Duarte Velho é o estereótipo daqueles que se deixam conduzir pelas paixões, pela luxúria. O caso das tamoias, que facilmente o seduziram e o atraíram para uma emboscada, apenas por estarem nuas, expõe claramente esse seu ponto fraco. O impulso que o levou a tentar beijar em público a viúva do serralheiro é outro bom exemplo. O risco de deitar com a própria prima, de se envolver com uma mulher casada, às vistas da cidade, é mais uma prova dessa natureza libidinosa que o levava a compartilhar amantes com o próprio pai. Um homem desses pode, perfeitamente, disparar oito flechas por causa de uma mulher.

O condenado Simão Berquó, contra quem se levantaram as provas mais convincentes, que não confessou o crime mas também não apresentou defesa, talvez não seja o verdadeiro assassino, como indica o episódio da forca. Representa, nesse caso, o simplório, o homem que confia na justiça, mas desconhece totalmente as suas engrenagens. Por isso, além de conservar em casa o dinheiro achado na bolsa do morto, admitiu esse fato, imaginando que o governador e os juízes acreditariam em seu depoimento, pelo acaso trivial de ter dito a verdade. Tendo encontrado o corpo do serralheiro, sem outra testemunha para confirmar o fato, cometeu o desatino de dar tal notícia à cidade — pondo a si mesmo na cena do crime. Pode até ter matado, mas então teria sido extremamente estúpido.

Resta, finalmente, o último acusado, o único que — pelo caráter — não pode ter cometido o crime: Gomes Torrinha. No episódio do ouvidor Clemente Pérez, seu papel foi apenas o de mandante. Ouviu Duarte Velho dizer em suas próprias fuças ter passado um dia com Beatriz Ramalho em sua própria casa. Nunca reagiu àquela afronta, embora possa ter feito ameaças. Costumava se gabar de coisas que não fazia, nem iria fazer. Disse que matara Francisco da Costa para tomar Jerônima Rodrigues — precisamente por não ter coragem de realizar nenhuma dessas coisas. Continuou sem ter a mameluca, depois de morto o serralheiro. Continuou permitindo que Duarte

Velho se deitasse com a mulher. Não tinha têmpera para atirar sequer uma flecha. Por isso não matou, nem amou, sua Beatriz.

A essa altura o leitor já deve ter percebido a impressionante coincidência: cada um dos nove primeiros suspeitos pode ser associado a um dos círculos do inferno, consoante a concepção de Dante Alighieri, exposta na *Comédia*.

Vindo de baixo para cima, temos o nono círculo onde penam os traidores; o oitavo, dos fraudulentos; o sétimo, dos violentos; o sexto, dos hereges; o quinto, dos iracundos; o quarto, dos pródigos e avarentos; o terceiro, dos gulosos, dos bêbados, dos que, depois da descoberta da América, seriam dependentes do tabaco; o segundo, dos luxuriosos; e o primeiro, o Limbo, dos que não têm pecado, mas não foram iniciados na verdadeira fé — lugar que, com certa licença, abrigaria um acusado como Simão Berquó: mameluco rude, ainda meio índio, incapaz de perceber as armadilhas da máquina social portuguesa.

O *Inferno* dantesco tem ainda um décimo compartimento: o vestíbulo, onde ficam as almas dos indiferentes, dos que não foram capazes de fazer nem o bem nem o mal. Isso confirma, esplendidamente, toda a analogia — porque é no vestíbulo que entraria um caráter como o de Gomes Torrinha.

Críticos severos me acusaram de ter distorcido fontes ou mesmo forjado certos passos do processo, para poder montar uma narrativa que copiasse Dante. Enfrento qualquer tribunal para provar o contrário. Na verdade, posso usar esse caso para demonstrar exatamente a tese da validade universal dos mitos, de que todo problema humano está previsto em algum exemplo mítico, de qualquer tempo ou lugar.

É precisamente o caso da *Comédia*. Dante compôs um poema mitológico, que representa um mundo fechado, estático, de significado atemporal. É um edifício absoluto, que compreende tudo. Estão no *Inferno* todos os criminosos, passados e futuros; estão estabelecidos e catalogados todos os crimes possíveis.

Nosso dilema, todavia, continua: aplicado ao caso concreto, o método dantesco não permite definir exatamente quem matou. Apenas que não foi o inquiridor Gomes Torrinha.

Feita a análise comparativa do caráter dos suspeitos, resta o exame das circunstâncias do crime: onde, quando, como e por quê.

O lugar do crime é, sem dúvida, a Carioca, onde o corpo foi achado. Não há, por exemplo, nenhuma hipótese de que tenha sido removido para lá, depois do óbito.

As armas letais foram as oito flechas. Embora não tenha sido estabelecida nenhuma relação entre elas e os suspeitos, parece que os juízes, implicitamente, supuseram que o assassino as tenha usado uma única vez e se livrado do arco.

Universalmente aceito também foi o motivo: Jerônima Rodrigues. Embora eu mesmo tenha objeções a essa tese, naquela época, entre aqueles portugueses, numa cidade que tinha mais homens que mulheres, não seria possível, logicamente, uma outra causa. Admitamos, por ora, ao menos teoricamente, tenha sido esta.

Relativamente ao momento do crime, todavia, há ao menos duas possibilidades: ou no início da manhã de sábado ou no fim da tarde de sexta-feira. Como mencionei, o rigor cadavérico começa e termina pelas regiões mandibular e cervical; ou seja, quando apenas essas áreas se encontram enrijecidas o corpo pode estar no princípio ou no fim do processo.

O leitor lembra certamente que, até o depoimento de Catarina Morena, que acusou Gonçalo Preto, estavam os juízes convictos de ter o assassinato acontecido no sábado, 14 de junho, pelo início da manhã, conforme opinião do mesmo boticário — que, além do *rigor mortis*, considerou a ausência dos caranguejos e dos urubus.

Nessa hipótese, dois suspeitos se descartam, por estarem no recinto da cidade, sendo um o álibi do outro: Gomes Torrinha e o próprio boticário. Todos os demais, com maior ou menor probabilidade, poderiam ter estado na Carioca, na hora do crime.

Se aceitamos, pelo contrário, a tese da cigana — de que a morte ocorrera no fim da tarde do dia anterior — o quadro se inverte quase completamente. Brás Raposo, por exemplo, voltara da olaria acompanhado e já tinha entrado na cidade, na hora do crime; Afonso do Diabo estava a serviço no forte; Tomé Bretão ainda não tinha escapado de Gragoatá; Melquior Ximenes ainda se preparava para ir à caça, a pé — e não alcançaria a Carioca naquele mesmo dia.

Gonçalo Preto alegara ter ficado em casa, no Castelo. Embora ninguém houvesse ido procurá-lo, também não o viram descer a ladeira. Já Duarte Velho descera a ladeira, depois de cruzar com Gomes Torrinha; e tomara uma igara para Perotapera, com outros moradores.

Os fidalgos Martim Carrasco e dom Rodrigo de Vedras afirmaram ter permanecido em suas propriedades. Depoimento análogo deu Simão Berquó: que passara a sexta-feira em Paranapecu. É verdade que, desses lugares, poderiam ter ido à Carioca, contando com um momento de distração das sentinelas. Era com base nessa possibilidade, mais ou menos provável, que os mesmos fidalgos tinham sido considerados suspeitos, na hipótese de o crime ter acontecido na manhã de sábado.

Há, contudo, uma pequena diferença. No começo das manhãs, havia apenas duas sentinelas, uma no forte e outra no baluarte, que já acumulavam cerca de doze horas de plantão e estavam muito mais propensas a se distrair. Nos fins da tarde, quando se fechavam as portas da cidade, havia toda uma rotina para alertar os moradores, na Piaçaba e nos fortes, inclusive com disparos de canhão. As sentinelas, então em maior número, se preocupavam em identificar qualquer embarcação, qualquer igara que se movimentasse na baía, no intuito de aguardar algum retardatário.

Assim, é pouco provável que alguém passasse desapercebido, à tarde, em frente ao Castelo. Se decidisse ir um pouco depois, para tentar evitar a vigilância, chegaria à Carioca ao anoitecer — circunstância que não favorecia a mira certeira de oito flechas.

Logo, há apenas um suspeito que sabemos ter estado, com toda certeza, na cena do crime: o inquiridor Gomes Torrinha. E em condições de atirar. E com grande probabilidade de ter estado lá sozinho com a vítima, pois foi também o último residente no Castelo a entrar na cidade, na sexta-feira 13, antes que caísse a noite. Como também já mencionei, fora e voltara remando a própria igara.

Ora, creio ter sugerido, se não afirmei, que a teoria de Gonçalo Preto, cujo fundamento é o hábito de animais necrófagos, particularmente o dos urubus, está errada: tais aves só teriam começado a atacar o cadáver depois de iniciado o processo de putrefação, fenômeno que só ocorre depois de findo o rigor cadavérico, e que portanto ainda não estava em curso na manhã de sábado, para um óbito ocorrido no entardecer do dia anterior.

Francisco da Costa, logo, foi assassinado, sem nenhuma possibilidade de dúvida, na sexta-feira, 13 de junho, perto do fim da tarde. Por isso, Catarina Morena e o ouvidor Luís D'Armas (que tiveram contato estreito com o cadáver) desconfiaram do cirurgião.

Diante desses fatos, fica claro que, segundo critério estritamente lógico, considerando o conjunto dos dez suspeitos, Gomes Torrinha é o verdadeiro criminoso.

É muito estranho que, na análise dantesca, seja ele justamente o único excluído, entre esses mesmos dez.

Os que me acusaram de ter imitado Dante e a estrutura do *Inferno* não perceberam, na verdade, que me inspirei em Agatha Christie para solucionar essa contradição, a incompatibilidade entre a análise do caráter dos suspeitos e o exame das circunstâncias do crime.

Não sei se todos leram *O caso dos dez negrinhos*. É um caso de crime perfeito, impossível de ser desvendado por métodos convencionais, senão pelos de ordem lógica, estritamente matemática. Há dez pessoas numa ilha isolada. Ocorre, então, o primeiro assassinato. Os crimes vão se sucedendo, até sobrar uma pessoa, que também é morta. Quando as autoridades chegam à ilha, quebrando o isolamento, descobrem nela dez cadáveres. Não há possibilidade de interferência sobrenatural.

Assim termina o corpo principal da narrativa. Mas um manuscrito, lançado ao mar dentro de uma garrafa, elucida o mistério: uma das vítimas era uma vítima falsa. Essa vítima é o culpado. Simulou o próprio assassinato, no decorrer da narrativa. Foi a quinta ou quarta personagem a morrer, ou a fingir ter morrido. Depois de ter matado a última pessoa, se suicida.

Ora, ao caso do serralheiro se aplica a mesma operação de inversão lógica constante de *O caso dos dez negrinhos*. No romance de Agatha, num espaço isolado, há apenas dez vítimas; uma delas, logicamente, tem de ser falsa, ou seja, tem de ser o assassino verdadeiro.

Na nossa história, o espaço também é isolado (não há elementos para incluir na cena os outros nove suspeitos); a vítima é verdadeira; e há um único suspeito na cena do crime. Se é um suspeito verdadeiro, como não se duvida, é porque comete, na verdade, um crime falso.

Francisco da Costa sai de casa em torno de uma da tarde. Cinco horas depois, estará morto. Não sabemos o que fez nesse período. Chega à Carioca com quinhentos mil-réis dentro da bolsa.

Pela posição das pegadas, sabemos que, oculto entre os mangues, esteve voltado para a Casa de Pedra. Um psicólogo diria que o enigmático prédio tem relação com a espera. Já não é meu caso.

É serralheiro de ofício. Se ficou do lado de fora, se não entrou na Casa, foi porque não quis. Tem (repito) quinhentos mil-réis. Entregará essa quantia a alguém.

Chega, então, Gomes Torrinha. Não sabemos o que traz — além de arco, flechas e facão. É homem douto nos antigos mapas. Talvez leve algum para vender.

Não é, contudo, o mais provável. Embora possa ser negócio escuso, clandestino, criminoso, poderia ser feito com sigilo em outro lugar, em outra hora, mesmo na cidade.

Gomes Torrinha não traz nada, além de armas. Está na Carioca para extorquir o serralheiro. Andava, Francisco da Costa, desesperado. Sabemos que pensou em extorquir também o carcereiro Afonso do Diabo. Queria sair da cidade. Queria tirar sua mulher dali. Cometera certamente algum delito, que não conhecemos. Quem escreve sobre fatos reais não é obrigado a saber todas as coisas.

Gomes Torrinha, todavia, sabe tudo. Por isso vem por trás, pelo braço direito do rio. Não faz o que havia previamente combinado. Tem, fundamentalmente, medo. E por isso hesita. Não sabe como reagirá, o extorquido. Não sabe se está mesmo sozinho.

Por isso, Gomes Torrinha veio armado, com intenção de matar. Prefere agir à traição; e pegar seus réis. Pensa também, obviamente, em Jerônima Rodrigues. Só teria coragem de abordá-la quando fosse viúva.

É quando nota a agitação da folhagem; e assiste ao serralheiro correr, na direção da Casa — antes de tombar, com o impacto de flechas que não são as suas.

Não vê, Gomes Torrinha, quem matou. Talvez tenha pressentido, como a vítima, a mesma coisa estranha, a insuspeita presença do intruso, do assassino inesperado.

Continua, assim, escondido; até se sentir em segurança para voltar à cidade.

Sabia, no entanto, que a bolsa estava cheia. Então, à noite, tenta voltar à cena do crime, pulando o muro da cidade, na altura do baluarte, que era (como mencionei, no capítulo primeiro) o ponto mais baixo do morro. Mas torce o joelho e despenca, infelizmente, caindo de costas nas pedras.

Foi, esse tombo, o argumento que inconscientemente desejava para desistir.

A solução matemática, teórica, aplicada ao caso de Francisco da Costa dissolve a aparente contradição entre o mito dantesco e os dados circunstanciais: Gomes Torrinha foi armado à Carioca; mas não teve pulso para cometer o crime. É um assassino potencial, ideológico, mas que falha por não ter caráter.

Mas alguém morreu, de verdade, na Carioca. Alguém disparou aquelas oito flechas nas costas do serralheiro. E uma novela policial não pode terminar sem que se diga quem matou.

Necessitamos, assim, de mais um modelo lógico, abstrato, que nos aponte um caminho. Tal modelo está no clássico e célebre *Os assassinatos da rua Morgue*, de Edgar Alan Poe.

Nesse conto, as vítimas estão num lugar aparentemente fechado, inacessível a todos os suspeitos naturais. Um quarto, num edifício altíssimo, cuja porta está trancada por dentro. A solução lógica é o intruso, o elemento externo, que o senso comum não considera suspeito, por ser excepcional: no caso específico, um orangotango, que entra pela janela — já que, para ele, a altura do prédio é irrelevante.

É precisamente a nossa situação: o único suspeito que está na cena do crime não matou a vítima. Assim, se não se admite recurso ao sobrenatural, já que se trata de fatos reais, é necessário introduzir um elemento externo, que nunca esteve entre os suspeitos. Para tanto, conto de novo a história.

Soeiro Vaz, menor, matou o tio, Francisco da Costa. Tinha ódio, contudo, do inquiridor, contador, distribuidor e escrivão da almotaçaria: Gomes Torrinha. Não temos, lamentavelmente, o motivo.

Na sexta-feira, 13 de junho, o menor Soeiro seguiu, de longe, a uma distância segura, o inquiridor Torrinha, que se dirigia à Carioca. Seguiu o inquiridor com a intenção de matar.

Talvez não soubesse que o serralheiro também estava ali. Talvez tivesse ido à Carioca para eliminar o homem que extorquia o tio. Nunca teremos certeza.

Soeiro Vaz, então, percebe o alvo. E mira. Por uma razão que — quatro séculos depois — escapa ao nosso entendimento, o alvo que mira é errado. Dispara toda a sua carga: oito flechas.

Volta logo, volta rápido, para o morro do Castelo. Chega, obviamente, antes de Gomes Torrinha — que, com medo, ficara um tempo escondido na folhagem.

É tarde, quando se dá conta do erro. Entra em pânico, se desespera, se arrepende. O ódio contra o inquiridor redobra.

Durante toda a primeira fase da devassa, Soeiro Vaz se cala. Todavia, quando Simão Berquó é condenado, não resiste. Decide acusar Gomes Torrinha. E diz que o inquiridor desejava a mulher do tio. Sabe que todos, na cidade, a desejam. Talvez ele, também, a desejasse.

Exagera, naturalmente, no que diz. Mas tem dados concretos: que Gomes Torrinha fora visto na cidade, com arco e flechas. Nesse ponto, ao menos, não supunha nada.

O inquiridor, contudo, é absolvido. E os anos passam. Em 1573, Soeiro Vaz agride, com um machado — e mata, com uma pedra — o ouvidor Clemente Pérez. Gomes Torrinha (Soeiro é quem afirma) foi o mandante.

A hipótese Soeiro Vaz é elegante, é literária. Num romance policial comum, *stricto sensu*, talvez fosse o melhor desfecho: atende ao fetiche ocidental pelas motivações psicológicas; é meio imprevisível; o assassino não é protagonista, quase não é mencionado ao longo da narrativa e só ganha vulto no fim.

Nossa história, todavia, é baseada num caso real. Por isso, a fundamentação cerebral, intelectual, matemática, é imprescindível. Seria o caso, talvez, de convocar investigadores, ou criminosos, da velha estirpe europeia, como Sherlock Holmes e Arsène Lupin. Ou indígenas, como a tamoia Andresa — que com apenas três indícios deduziu o lugar do cativeiro de Jerônima Rodrigues e a identidade do homem que esteve com ela.

A primeira pergunta que tais personagens fariam seria sobre a posição angular das flechas em relação ao dorso da vítima. No processo, é um dado que não consta. Não sabemos se as oito, ou as sete flechas que ficaram cravadas no corpo do serralheiro estavam em posição horizontal; ou se havia algumas inclinadas.

Para que o leitor entenda bem, explico: se foi apenas um arqueiro (tese absoluta na devassa), as flechas não estariam — todas elas — fincadas horizontalmente. Ainda que o atirador empregasse a técnica indígena, muito mais eficiente que a dos europeus (pois não desperdiça tempo buscando flechas numa aljava posta às costas), seria impossível acertar oito setas num alvo móvel, e vivo, sem que este tombasse logo ao terceiro ou quarto impacto. Os projéteis restantes, portanto, não ficariam numa posição horizontal, em ângulo reto com o corpo.

Mas por que razão um arqueiro único dispararia tantas flechas? Para ter certeza de que matou — é a resposta. Nesse intuito, teria se aproximado da vítima, cautelosamente, para atirar de perto e liquidar o assunto.

Ora, consta dos autos que todas as pegadas identificadas nas proximidades do cadáver eram as do próprio serralheiro. Ninguém chegou perto do cadáver. Francisco da Costa foi alvejado, assim, de muito longe, certamente da outra margem do braço direito do rio Carioca. As flechas passaram entre os mangues porque — tendo corrido em linha reta — tornou-se alvo fácil.

No chão, todavia, não teria recebido oito flechadas: o alvo caído dificulta sobremaneira a mira. E é muito provável que essa mudança de posição, alterando o ângulo de visão do assassino, interpusesse algum galho, alguma raiz na linha imaginária do tiro. Ou seja: um arqueiro comum não conseguiria atingir oito flechas no alvo, daquela distância.

Pensemos um pouco, agora, sobre a reação de Francisco da Costa, na hora do crime. Olha para a Casa de Pedra e de repente começa a correr. Percebeu, portanto, um movimento relevante, expressivo, perturbador. Esperava, o serralheiro, uma pessoa. Seu espanto, sua fuga é típica de quem, de repente, no silêncio de um esconderijo, em vez daquela pessoa, pressente um bando. E identifica, nele, o inimigo.

O leitor talvez esteja rindo, porque demoro demais para explicar o óbvio: não foi um assassino quem matou Francisco da Costa. Foram vários — que dispararam, quase simultaneamente, oito flechaços.

Há um mito dos bororos (que li numa das *Mitológicas* do Lévi-Strauss) particularmente útil para a análise do nosso caso. É um mito policial, no sentido estrito do termo. E não se espante o leitor com o aparente anacronismo: histórias de mistério que envolvam alguma espécie de investigação são tão antigas quanto o homem.

Por ser um mito, ensina muitas coisas: desde os princípios da ordenação do mundo a lições práticas para a vida cotidiana. Prestemos, assim, atenção.

Certa índia, casada, com um filho já adolescente, entra um dia, na mata, para pegar folhas de palmeira para fazer estojos penianos. Era um trabalho exclusivamente feminino. Mas o filho a segue; e a estupra.

Na aldeia, o pai desconfia: havia penas coladas à cinta da mulher. Ela acaba confessando o estupro; mas afirma não ter conseguido identificar o agressor.

O pai, contudo, era o tuxaua. Convoca, então, uma dança, para que os membros da tribo se apresentem com seus melhores adornos. A única pessoa que tem penas iguais às da cinta da mulher é o próprio filho.

Não crê, naturalmente, na absurda evidência. E convoca uma segunda dança. A conclusão é a mesma. Faz, então, uma terceira tentativa. E não há mais dúvida: foi o filho quem deitou com a mãe. A narrativa continua, com várias intrigas e peripécias; e termina quando o filho, finalmente, mata o pai.

Há muito a dizer sobre esse Édipo bororo (que me parece até superior, em tragicidade, à versão de Sófocles). Mas, como quero concluir o livro, extrairei apenas duas lições.

A primeira é de ordem prática: o pai concentra todo seu esforço intelectual no principal indício: nas penas que aderiram ao corpo da mulher. Faz isso porque sabe existir uma relação direta, inequívoca, pessoal, entre o criminoso e o objeto a que pertencem as penas. No caso, os ornamentos festivos dos adolescentes.

Ora, flechas são (particularmente nas sociedades indígenas) objetos muito pessoais. Os índios de Jabebiracica ou de Icaraí teriam sabido prontamente estabelecer essa relação. Embora tenham sido admitidos como testemunhas, não periciaram a cena do crime, não analisaram as evidências materiais do caso.

Nosso principal indício, certamente, são as flechas. Quatrocentos anos depois, não sabemos como eram. Não foram associadas aos tamoios, mas aos portugueses. É provável que tenha havido diligências na casa de todos os dez acusados (vimos que houve, por exemplo, na de Brás de Raposo e na de Simão Berquó). Se nada consta dos autos, é porque não encontraram nada.

Mas suponhamos — apenas como técnica argumentativa — que os assassinos portugueses (sabemos agora terem sido mais de um) tenham eliminado essas provas. Resta, então, indagar o motivo que levaria a tal associação. Vingança conjunta é improvável. Eliminação do marido para uma divisão da mulher, impossível. Extorsão coletiva, inverossímil, pois o dinheiro permaneceu na bolsa.

Nesse ponto entra a segunda lição do mito bororo: o óbvio excessivo, à primeira vista, cega. Por isso, o pai teve de convocar três danças para ter certeza do incrível, do impensável: de que o próprio filho violentara a mãe.

Se não foram tamoios (porque as flechas eram pequenas demais); se não foram portugueses (porque não haveria propósito); se Francisco da Costa, que esperava Gomes Torrinha, começa a correr de repente — é porque esses inimigos que se aproximam são, na verdade, inimigas.

As flechas tupis (disse isso logo no começo) têm dimensões equivalentes ao tamanho do arqueiro. Como as mulheres são menores, suas flechas — objetos profundamente pessoais — têm menor comprimento, para respeitar o mesmo princípio de proporcionalidade.

Logo, Francisco da Costa foi morto com flechaços disparados por um bando de tamoias.

CAPÍTULO QUINTO

"(...) iludida, a expedição
do tesouro tão sonhado
alcança as Montanhas de Vidro
e surge o país namorado:
Ibirapitanga, que esplendor!
Mulheres guerreiras em orgia (...)"

Viagem fantástica às terras de Ibirapitanga,
Imperatriz Leopoldinense, 1977

§ Único
Quando os mistérios vão além do crime

Numa cidade onde há mais homens que mulheres, não pode haver virtude — concluo com uma frase que já escrevi; mas que só agora faz sentido pleno. Foi por terem essa certeza, por estarem imbuídos dessa verdade transcendente, que os juízes do tempo não puderam conceber outro motivo para a morte de Francisco da Costa — senão Jerônima Rodrigues.

O caso do serralheiro prova que a solução de um crime é sempre relativa, é sempre transitória. Porque é função dos mitos — não das evidências. Daqui a quatrocentos anos, o romance de Jerônima terá de ser completamente reescrito.

Mas se o crime, ou falso crime, está por ora resolvido, a história guarda ainda alguns segredos. Vou começar pelo mais simples: o da Casa de Pedra.

Não tenha dúvida, o leitor, de que no século 16 as crenças em tesouros, mapas secretos ou enigmáticos, cidades escondidas, montanhas de esmeraldas, minas profusas de ouro e prata eram reais. Basta ler, por exemplo, um livro como *Visão do Paraíso*, de Sérgio Buarque de Holanda, para ter essa certeza.

Assim, se o capitão Estácio manteve inabitada a região da Carioca, se trancou a Casa de Pedra e proibiu que nela entrassem, acreditava concretamente na lenda de Lourenço Cão. O leitor exigente me pergunta, contudo, em qual das versões: a do mapa oculto num lugar secreto do interior da Casa; ou inscrito nas paredes?

Pessoas de espírito puro, considerando a fechadura de combinação tríplice e a pesada porta de ferro içada por roldanas, apostarão na primeira alternativa. Nós, que estamos já afeitos aos clássicos do mistério e do crime, apontaremos a segunda opção.

Estácio de Sá mandou trancar a Casa de Pedra de modo a parecer que fosse inviolável — precisamente por não haver nada, nenhum esconderijo em seu interior. Todavia, sendo a Casa construída com blocos de pedra talhados por um canteiro, o desenho de dentro tinha necessariamente de ser igual, idêntico ao de fora. Se o mapa de Lourenço Cão foi inscrito nas paredes, esteve, portanto, sempre exposto, sempre evidente, para quem soubesse ver.

O fato de Lourenço Cão ter mandado expor seu mapa nas paredes da Casa de Pedra não significa que tenha sido possível decifrá-lo. Parece, na verdade, que isso nunca aconteceu, porque todas as entradas promovidas por vicentinos, cariocas ou paulistas que partiram do Rio de Janeiro não chegaram a lugar nenhum. Deve haver, portanto, uma razão para o fracasso.

Sabemos que esse mapa tinha no centro uma lagoa, onde nascia um grande rio, Iguaçu. *Yguaçu* significa, precisamente, "rio grande". Os exploradores que partiram da Guanabara andaram, durante décadas, atrás desse rio, na esperança de subir seu curso e alcançar a cobiçada Lagoa Dourada, das mulheres sem marido.

Ora, se o leitor consultar um bom atlas do Brasil, perceberá que a maior parte dos topônimos tupis se repetem o tempo todo, por todo o território. Piratininga, por exemplo, é o antigo nome da cidade de São Paulo; mas também de uma lagoa em Niterói. Itapoã é outra lagoa famosa, da Bahia; e de uma localidade gaúcha, às margens da lagoa dos Patos. Paraíba é um estado da região nordeste; e também um rio fluminense. Itamarati é uma cidade do Amazonas; uma ilha, no Pará; uma estação de trem, no interior mineiro.

O exame revelará ainda muitas Itaúnas, Itaocas, Itabiras, Itapebas, Itacoatiaras e Itararés. Nenhum topônimo, todavia, parece mais vulgar que Iguaçu. Há uma razão natural para isso: quando havia muitos mortos e a terra, portanto, perdia o viço, os tupis abandonavam a taba, para construírem uma nova, em outro lugar. Conservavam, todavia, o nome.

Nessa nova paisagem, nesse novo lugar, embora fosse diferente, havia, no entanto, os mesmos elementos: um rio grande, maior que os outros; uma lagoa grande, maior que as outras; uma serra ao fundo; o lugar da piracema, que marca a entrada da estação; alguns rochedos, que ou eram pretos, ou lisos, furados, pontudos, pintados; e a mata fechada, a floresta, território da caça e dos espíritos. Todos os nomes, assim, se repetiam.

Se o leitor foi atento, lembrará que Iguaçu, por exemplo, era o nome da sesmaria doada aos jesuítas, no Rio de Janeiro. Quantos vicentinos não se devem ter frustrado, depois de entrarem léguas pelo mato, ao virem morar na cidade e constatarem, então, que o cobiçado Iguaçu estava ali tão perto?

O mundo indígena, ou melhor, a expressão geográfica do mundo indígena é fixa, é imutável. O lugar que o homem habita é sempre o mesmo. Sempre haverá, em qualquer paisagem, em qualquer ambiente, um *ygyaçu*, uma *itaúna*, um *caaeté*. No pensamento tupi, portanto, importa a estrutura, o significado, a imanência das coisas. Não o aspecto.

Talvez por ironia, Lourenço Cão tenha difundido a própria lenda. Viveu muito tempo com os índios, não deve ter demorado a compreender que mapas, propriamente ditos, são objetos impossíveis.

Durante a narrativa do caso do serralheiro, contei algumas histórias passadas no princípio do mundo sem no entanto identificar qual delas é exatamente a primeira. Devo confessar que fui proibido de desvendar esse segredo — pois me foi revelado de forma sobrenatural. Deixei, contudo, várias pistas pelo livro. E faço este parêntese para lembrar a última, que resume todas: a lenda de Jurupari.

A versão clássica foi escrita em nheengatu, o tupi amazônico, pelo caboclo Maximiano José Roberto, descendente de índios tarianas e manaus; e publicada numa tradução italiana do já mencionado conde de Stradelli.

Na variante original, ligeiramente diferente, o herói — Jurupari, filho de uma virgem — enfrenta verdadeira saga, tentando instituir num mundo bárbaro e anárquico as leis recebidas diretamente do Sol.

Sua luta, essencialmente, é contra o comportamento das mulheres — libidinosas, sedutoras, depravadas. Jurupari vai de reino em reino combatendo o adultério, as orgias públicas, a poliandria, o lesbianismo, além da prática da *cyryryca*, a masturbação feminina (termo que tem origem no tupi *cyryc*, ou seja, escorregar).

As mulheres custam, naturalmente, a se submeter, a se vergar à força mágica do filho do Sol — que acaba, enfim, por triunfar. Algumas delas, contudo, inconformadas, emigram para longe, para depois das altas montanhas, para a tapera da Lua, onde continuam vivendo segundo a velha ordem.

É lá que se encantam, se transformam em onças. São as primeiras onças que andam sobre a Terra. E desde então dão caça aos homens. Todavia, quando assumem forma humana, preferem seduzi-los, preferem forçá-los à cópula. E, se se agradam deles, mergulham numa lagoa escura, profunda, trazendo à tona pedras verdes. O homem que leva um amuleto desses — o muiraquitã — não perde a sorte.

O leitor terá concordado que — tendo Jerônima Rodrigues se associado às amazonas, a essas mulheres sem lei, sem marido, completamente livres para o sexo — os portugueses daquele tempo não poderiam ter imaginado outro motivo para explicar o assassinato de Francisco da Costa.

Uma das minhas epígrafes é de uma carta do irmão Pero Correia, escrita em 1551. Antes de ingressar na Companhia de Jesus, foi um dos pioneiros vicentinos, sertanista, preador de índios. Andou atrás de minas, como todos. Morreu, em martírio, quando foi ensinar a doutrina cristã aos selvagens que costumava escravizar.

Poucos cronistas conheceram tanto o mundo indígena. Na referida carta de 1551, Pero Correia menciona que, entre os tupis, algumas mulheres assumiam a posição de homens, casando com outras. Passavam, assim, a ter os mesmos deveres: derrubar o mato para a roça, construir ocas, fazer arcos, flechas, caçar e ir à guerra.

É impossível não enxergar nisso a base factual, etnográfica, do mito das mulheres guerreiras, sem marido e sem lei; mito que gozou de tanta credibilidade, se expandiu por todo o continente e lançou gerações de aventureiros nos sertões americanos.

Mitos, lendas — como se sabe — são uma outra forma da verdade. Podemos, assim, formular uma etnografia especulativa das amazonas, a partir da confrontação de dados históricos e mitológicos. E explicar o verdadeiro mistério deste livro: Jerônima Rodrigues.

Nos relatos clássicos sobre as mulheres sem marido há um traço recorrente, que constitui um dos cernes do mito: o de viverem, as amazonas, isoladas; de receberem ou capturarem homens, periodicamente, para procriar; e de manterem consigo apenas as meninas, matando ou devolvendo os filhos aos respectivos pais.

Ora, se entre os antigos tupis existiam mulheres que se casavam com outras mulheres, que assumiam a função social masculina, e por isso tinham de exercer todas as atividades a ela concernentes, teriam também que gerar descendência.

Uma solução para o problema pode ter sido precisamente essa: a captura temporária de varões que exercessem apenas o papel reprodutor. Não poderiam, todavia, permitir que os meninos gerados desse modo sobrevivessem. E por uma única razão: a de não poderem, tais meninos, receber um nome.

Para os tupis, só os homens — com função e natureza masculinas — podem nomear, por terem antes rachado a cabeça de um inimigo e lhe tomado um nome. Por isso, não pode ser pai quem não for matador.

No rito canibal, mulheres só participam como devoradoras da carne. Como os caraíbas (que também são onças), estão dispensadas de rachar cabeças. A diferença é que são, as mulheres, as onças do princípio, as onças elementares. Por isso, são seres potencialmente anônimos, perfeitos, predispostos à imortalidade. Só não alcançam a terra-sem-mal se forem adúlteras e induzirem os homens a nomearem filhos que não lhes pertençam.

Depois das batalhas de Uruçumirim e Paranapecu, travadas em janeiro de 1567, os tamoios foram repelidos das vizinhanças da Guanabara. Continuaram, todavia, atacando a cidade, em incursões rápidas, de pequenos bandos, cujo objetivo era apenas obter vingança. Alguns bandos desses podem ter sido formados, obviamente, apenas de mulheres (daí talvez a menção, na devassa, a "mulheres nômades").

É, pois, bastante plausível, é perfeitamente plausível que índias tamoias — sendo funcionalmente homens, guerreiros, inimigos de portugueses e temiminós — tenham atirado em Francisco da Costa, enquanto andavam pela zona inabitada, isolada, da Carioca. Isso explica as flechas mais curtas. E a circunstância de não terem rachado a cabeça da vítima.

As mesmas tamoias que iriam matar Francisco da Costa devem ter encontrado Jerônima Rodrigues extraviada na floresta. Capturaram, assim, a mameluca — para ser esposa de uma delas, para que exercesse uma função de mulher.

É quando percebem, na ilha onde se escondem (ilha que estava então desabitada), a presença de um homem: Simão Berquó. Não têm dificuldade em aprisioná-lo.

Então, seguindo ritos muito antigos, forçam a cópula entre os dois cativos.

É quando acontece algo, alguma coisa que mobiliza, ou põe em fuga, as tamoias. Caçadores, provavelmente. Temiminós. E elas abandonam, assim, os prisioneiros.

Simão Berquó pressente a hora. E escapa. Talvez também tenha auxiliado Jerônima a fugir. Nunca saberemos. Nunca saberemos se chegou a conhecer, se viu que mulher era aquela.

Meses depois, quando conseguiu sobreviver à forca e fugir da cadeia, não relacionou esses eventos ao episódio da ilha. Nem a outro milagre anterior, quando uma onça, dando o bote contra ele — em vez de trucidá-lo — lhe deixou somente cicatrizes.

Nunca teve, Simão Berquó, a dimensão precisa de sua própria sorte.

Jerônima Rodrigues até pode não ter visto o rosto de Simão Berquó. Pessoalmente, contudo, não acredito nessa hipótese. As diversas versões do mito das amazonas não referem o costume de vendarem os olhos ou encobrirem a face dos homens aprisionados para procriar. Eram mulheres guerreiras. Não havia, para elas, necessidade de fazer segredo. Também não se registra, na cultura tupi, o emprego de máscaras.

Assim, se é provável que Jerônima tenha visto o rosto de Simão Berquó, por que nunca revelou a identidade do seu agressor? Seria essa a atitude natural, fosse por vingança, fosse para salvar a honra do marido — que teria o direito de matá-lo.

Mas a mameluca, em vez disso, conta apenas a Francisco da Costa que o homem tinha cicatrizes, das nádegas à coxa; e que tinha barba, uma barba rala. Imaginemos qual deva ter sido a reação do serralheiro, ouvindo aquilo. Se ela não vê o rosto, mas percebe a barba, é porque ele lhe beija a boca; se percebe que essa barba é rala, é porque talvez não tenha resistido tanto. E pior: se percebe as cicatrizes, é porque passa a mão pelas nádegas, pelas coxas do estuprador.

A identificação das cicatrizes, particularmente, denuncia que Jerônima fez um movimento consciente naquela direção. Vítimas de estupro empurram, agridem, tentam se desvencilhar de seus violadores. Não acariciam ninguém daquela forma. E Francisco da Costa conhecia as mulheres, conhecia especialmente a sua, devia saber que aquele gesto indicava outra intenção: a de puxar o homem mais para dentro de si.

É provável que Jerônima Rodrigues, nas primeiras investidas, tenha rechaçado o ímpeto de Simão Berquó. Tais lutas, todavia, são quase sempre vãs. E ela, assim, naquela circunstância extrema, diante da realidade irreversível, se entrega, se permite, se deixa levar pelo prazer de uma inocente perversão.

Nota final

O argumento desta novela foi extraído do livro *Conquistadores e povoadores do Rio de Janeiro*, de Elysio Belchior. É um pequeno dicionário biográfico das pessoas que sabemos terem estado na baía de Guanabara, ou na cidade do Rio de Janeiro, durante o século 16.

É nele que está referido o assassinato de Francisco da Costa, com transcrições do processo e algumas circunstâncias do caso: a Carioca como cena do crime; a imprecisão das sete ou oito flechas; o excessivo número de dez suspeitos; o nome mágico de Jerônima Rodrigues.

Os entendidos nas coisas desse tempo conhecerão certamente que respeitei a história, em sentido abstrato, e não a casualidade dos eventos. Porque é dever da ficção, algumas vezes, aperfeiçoar a vida.

Se fui buscar em Belchior a armação do enredo, devo a conversas com Eduardo Viveiros de Castro importantíssimas lições de tupinologia, que iluminaram minhas leituras dos textos coloniais e de etnografias modernas. Fundamentais também me foram alguns de seus ensaios, enfeixados no imprescindível *A inconstância da alma selvagem*.

Como as notícias sobre os antigos brasileiros são quase sempre vagas e precárias, tomei imensas liberdades nas exegeses míticas e etnográficas do material indígena. Não passam, portanto, de literatura; e não devem ser consideradas fora desse âmbito — ainda que eu tenha respeitado certo princípio estético tupi.

Não perdi, naturalmente, a oportunidade de criar meus mitos, ou de recontá-los em versões pessoais. É a maneira que me resta de afirmar, e de exercer, minha tupinitude.

Também são minhas todas as teorias etimológicas que alguns especialistas talvez julguem controversas. Prometo escrever, mais tarde, um enfadonho ensaio para demonstrá-las.

No que tange à ortografia do tupi antigo, adotei o princípio da aproximação máxima, ou seja: tanto quanto possível escrevi em tupi como se fosse em português. A única concessão foi o emprego do *y*, que representa um *i* glotalizado, ou velarizado, sem equivalente nas vogais lusíadas.

O mapa do morro do Castelo em 1567, que o leitor encontra no princípio do livro, é uma adaptação das cartas conjecturais de Maurício de Almeida Abreu, propostas no delicioso artigo *Reencontrando a antiga cidade de São*

Sebastião. Minha principal alteração recaiu, naturalmente, sobre o traçado da rua de trás, onde morou Jerônima.

Finalmente, sendo este livro a culminância de uma saga pessoal, de uma imersão na mais antiga das minhas origens, não posso deixar de dedicá-lo, em primeiro lugar, à minha mãe, Marlene. E, por conseguinte, à minha avó, Olga; à minha bisavó, Maria Serafina; à minha trisavó, Domitila Bráulia; às mulheres anônimas da minha linhagem materna — mamelucas e índias de quem herdei o sangue e o Espírito Tutelar que sopra em meus ouvidos.

Cronologia básica da baía de Guanabara e da cidade do Rio de Janeiro

1500

Os tupis, depois de rechaçarem seus predecessores tapuias, ocupam praticamente toda a costa do Brasil. Entre as baías de Guanabara e Sepetiba, onde se situará o Rio de Janeiro, essa ocupação tem pelo menos um milênio.

1502

Expedição portuguesa passa ao largo da Guanabara. Por ser o primeiro dia do ano, e por terem confundido a barra da baía com a foz de um rio, os navegantes dão ao lugar o nome "Rio de Janeiro".

1511

A nau *Bretoa* vem resgatar pau-brasil na feitoria do Cabo Frio, a 15 ou 20 léguas do Rio de Janeiro. Por terem furtado ferramentas da armação, o piloto João Lopes Carvalho e um grumete ficam nela, degredados.

1512

O piloto João Lopes Carvalho já está na Guanabara, transferido para uma outra feitoria, que deve ter existido no Rio de Janeiro; ou residindo com os indígenas, depois de fugir de Cabo Frio.

1513

O mapa do almirante turco Piri Reis é o primeiro a assinalar o contorno aproximado da baía de Guanabara. Mais acima, nesse mesmo mapa, lê-se, em caracteres árabes, o enigmático topônimo: "Snu Snyru". Vocalizado, poderia soar com "Sano Saneiro".

1515

Juan Díaz de Solis, a caminho do rio da Prata, faz escala no Rio de Janeiro. É provável que o piloto João Lopes Carvalho, degredado em 1511, tenha escapado com os espanhóis.

1519

Fernão de Magalhães, a serviço de Espanha, em sua viagem de circum-navegação, também faz escala no Rio de Janeiro. Encontra plantações de cana-de-açúcar. Um dos pilotos da esquadra é aquele mesmo João Lopes Carvalho, que reencontra seu filho mameluco, então com 7 anos.

1525

Primeira menção à presença de piratas normandos no Rio de Janeiro.

1526

Rodrigo de Acuña, voltando de Santa Catarina, entra no Rio de Janeiro. Dois marujos desertam.

1531

Martim Afonso de Souza fica cerca de três meses no Rio de Janeiro. Manda erguer uma "casa-forte" e envia expedição ao interior, que percorre 115 léguas e volta com notícias sobre minas de ouro e prata.

1534

É passado o foral a Martim Afonso de Souza, donatário da capitania de São Vicente, base do futuro estado de São Paulo. O Rio de Janeiro integra aquele território.

1548

Luís de Góis, de São Vicente, escreve ao rei de Portugal, informando que vem aumentando muito, nos últimos anos, a incursão de piratas franceses no Rio de Janeiro, estando a costa, por isso, extremamente perigosa.

1552

Tomé de Souza, primeiro governador-geral do Brasil, não consegue desembarcar no Rio de Janeiro, dada a hostilidade dos indígenas. Os tupis da região já estão cindidos em metades inimigas: tamoios e temiminós.

1554

Hans Staden, escravo de Abatipoçanga, principal de uma das tabas tamoias, escapa, depois de longo cativeiro, numa nau francesa que resgatava pau-brasil na Guanabara.

1555

Maracajaguaçu, principal temiminó, pede socorro a Vasco Fernandes Coutinho, donatário da capitania do Espírito Santo. São removidos para lá quase todos os temiminós da Guanabara. Pouco depois, o cavaleiro de Malta, Nicolau Durand de Villegagnon, se alia aos tamoios e funda uma colônia francesa, de orientação calvinista, no Rio de Janeiro: a "França Antártica".

1557

Cruelmente perseguidos pelo cavaleiro Nicolau, agora reconciliado com o catolicismo, os calvinistas da França Antártica abandonam a fortaleza e se refugiam no lugar denominado *La Briqueterie* — que é provavelmente a Casa de Pedra.

1560

Mem de Sá, aliado aos temiminós e aos tupis de São Vicente, destrói a França Antártica, ainda sustentada por forças tamoias. Expulsa os franceses (que se refugiam no interior), mas não consegue controlar a Guanabara. Começa a guerra denominada "Confederação dos Tamoios", contra a ocupação portuguesa.

1563

Os jesuítas Nóbrega e Anchieta concertam com os tamoios a "Paz de Iperoig". Aceitam a trégua alguns principais, como Cunhambeba, Caoquira e Pindobuçu. Outros, no entanto, rejeitam o acordo, entre os quais Jaguaranhõ, Aimbiré e Guaixará — os dois últimos, do Rio de Janeiro.

1565

Com o apoio dos temiminós, que voltam do Espírito Santo comandados por Araribóia, Estácio de Sá funda a cidade do Rio de Janeiro, no istmo entre os morros Cara de Cão e Pão de Açúcar. Os povoadores são, quase todos, "paulistas" de São Vicente.

1566

Guaixará conduz, por mar, feroz ataque contra o Rio de Janeiro. Araribóia e Estácio conseguem resistir.

1567

Forças temiminós e portuguesas obtêm duas vitórias contra importantes posições tamoias: uma em Uruçumirim (no atual outeiro da Glória), e outra em Paranapecu (a ilha do Governador). Morte de Estácio de Sá. Morte de Aimbiré. Mem de Sá transfere a cidade para o morro que será chamado do Castelo. Assassinato do serralheiro Francisco da Costa — primeiro homicídio do Rio de Janeiro.

1582

Naus francesas, que apoiavam as pretensões do prior do Crato à coroa portuguesa, chegam para tomar o Rio de Janeiro. Como todos os homens válidos estavam numa entrada, dona Inês de Sousa, mulher do capitão-mor, arma as outras mulheres da cidade. A invasão, assim, é repelida.

Agradecimentos

Agradeço especialmente aos que leram e comentaram os embriões desta novela; ou debateram comigo alguns dos seus problemas: Carlos Andreazza, Eduardo Viveiros de Castro, Elaine Mussa, João Mussa, Luciana Villas-Boas, Miguel Sanches Neto, Mônica Machado e Stéphane Chao.

Este livro foi composto na tipografia Minion Pro,
em corpo 12/17, e impresso em papel off-white
no Sistema Digital Instant Duplex da
Divisão Gráfica da Distribuidora Record.